더 나은 미래교육 미래수업

인공지능(AI) 시대
에듀테크 활용

강신진

BOOKK

저 자 | 강신진

발 행 | 2024년 9월 30일
펴낸이 | 한건희
펴낸곳 | 주식회사 부크크
출판사등록 | 2014.07.15.(제2014-16호)
주 소 | 서울특별시 금천구 가산디지털1로 119
　　　　　　　　　　SK트윈타워 A동 305호

전 화 | 1670-8316
이메일 | info@bookk.co.kr

ISBN | 979-11-419-0572-9

www.bookk.co.kr

들어가기

에듀테크와 교육

에듀테크(EduTech)는, 교육에 정보통신기술(ICT)을 적용하여 기존의 교육 서비스를 개선하거나 새로운 서비스를 제공하는 차세대 교육을 의미합니다. 에듀테크(EduTech)는 교육(Education)과 기술(Technology)의 합성어다. 에듀테크가 가져오는 미래 교육의 변화에 대해 알아봅니다.

미래의 교육은 인공지능(AI)과 에듀테크가 대세가 될 전망입니다. 대한민국은 미래 인재를 어떻게 양성해야 할까요?
교육부는 학교 현장의 디지털 소양을 촉진하기 위해 디지털 교과서 정책을 토대로 민관 협력을 통한 에듀테크 활성화와 교육 혁신을 추진하고 있습니다. 따라서 새로운 에듀테크 도구를 학교 교육에 활용하는 방법을 살펴봅니다.

이 책은 생성형 인공지능(AI) 시대의 에듀테크(EduTech) 활용 길라잡이입니다. 인공지능(AI)과 에듀테크를 교육 분야에 활용하는 방법을 담고 있는 기초 활용 안내서입니다.

인공지능(AI) 기술은 학생 개개인의 수준별 학습을 가능하게 합니다. 그러나 기본적인 학습 설계와 교육은 여전히 교사가 담당해야 합니다. 교사는 자기 주도적 학습을 유도하여 문제 해결 능력을 기를 수 있는 장점이 있습니다. 또한, 인공지능을 통해 개인별 맞춤형 교육을 시도하는 것입니다. 이러한 방향으로 나아간다면, 행복한 미래 교사가 될 수 있습니다. 최근 에듀테크 이용은 선택이 아닌 필수가 되는 시대입니다.

우리의 미래는 어떤 모습일까요? 학생을 변화시키는 방법은 무엇일까요? 교사를 변화시키는 방법은 무엇일까요? 학교를 변화시키는 방법은 무엇일까요? 교육을 변화시키는 방법은 무엇일까요? 교사에게 무엇이 진정 소중한 것인지 생각합니다.

이 책은 에듀테크(EduTech) 활용을 통해 학교에서 업무와 수업에 적용할 수 있게 도와주며, 동기를 부여 하는 안내서이다. 세상이 변하면 교육도 변해야 합니다. 학교 수업의 혁신이 필요합니다. 에듀테크에 대한 이해도를 높이고, 디지털에 대한 소양을 함양하여 인식을 개선하기를 기대합니다. 학교 현장에서 에듀테크를 미래의 꿈을 이루는 도구로 사용하는 방법을 제시합니다. 또한 에듀테크와 교육의 가치를 생각하게 합니다.

제1부, 에듀테크(EduTech)와 교육

1부는 에듀테크의 활용과 미래 교육의 방향입니다. 다양한 수업 도구로서의 에듀테크 종류, 에듀테크의 등장과 미래 전망, 4C 역량 함양을 위한 수업 활용 방법, 그리고 디지털 소양을 위한 기본적인 사용법을 다루고 있습니다. 교육분야에 에듀테크를 왜, 어떻게 사용해야 하는가를 생각합니다.

에듀테크와 디지털 교과서가 가져올 문제점을 해결하고, 깊이 있는 배움의 도구로 사용하기를 권장합니다. 또한, 에듀테크를 학교 현장에서 적절하게 활용하여 교육 효과를 기대합니다.

제2부, 생성형 인공지능(AI) 사용

2부는 생성형 인공지능(AI)의 활용에 대해 살펴봅니다. 인공지능은 지식을 제공하며 생각을 창조하는 데 도와주는 도우미이고 비서입니다. 생성형 인공지능의 종류와 가입하여 사용하게 안내하는 기본서입니다.

ChatGPT, MSCopilot, 뤼튼(Wrtn), Clova X(네이버 클로바X), 아숙업(AskUp), Gemini, 이미지 생성형 AI 등 기본적인 사용 방법을 소개합니다. 디지털 세상이 제공하는 새로운 인공지능 활용에 관한 기초 사용법입니다.

인공지능은 미래 교육을 변화시킬 것이며, AI 기술로 인해 새로운 학습 형태도 등장할 것입니다. 업무와 교수·학습 자료에 활용되는 에듀테크를 나열하고, 저작도구의 종류, 질문에 활용하는 에듀테크를 안내합니다. 이 책은 학교에서 편리하게 사용할 수 있는 활용에 초점을 맞추고 있습니다.

제3부, 에듀테크 유형별 활용

3부는 에듀테크(EduTech)를 유형별로 나누어 업무 활용에 도움을 주는 내용입니다. "19세기 교실에서 20세기 교사들이 21세기 아이들을 가르친다."라는 말은 21세기의 아이들에게 적합한 교실 환경에서 수업을 제공해야 한다는 의미를 담고 있습니다.

캔바, 북크리에이터, 투닝, SUNO, 감마, 브루, 페들렛, 네이버 클로바, AI 코스웨어 등 에듀테크를 어떻게 활용할 수 있는지에 대한 소개입니다.

교사들이 미래 교육의 도약을 위해 에듀테크를 효과적으로 활용할 수 있도록 돕는 안내서입니다. 이를 적절하게 활용하여 수업에 활용하는 방법은 교사의 역량에 달려 있습니다. 학교 업무와 수업에서 교육의 목적을 달성하는 데 도움이 되길 기대합니다.

제4부, 행복한 미래 교사 되기

4부는 행복한 미래 교사가 되는 올바른 방향과 교육의 미래상을 살펴봅니다. 생성형 인공지능과 에듀테크가 교육 현장에서 보조교사 역할을 할 것으로 예견됩니다.

현재 대부분의 교육청에서는 디지털 기기를 보급했습니다. 2025년부터 디지털 교과서를 개발하여 학교에 보급합니다. 학생들은 개인별 학습 요구에 맞춤형으로 활용되길 기대하고 있습니다. 학교는 AI 디지털 교과서 도입이라는 중대한 갈림길에 서 있습니다. 학생들은 학교 밖에서도 스마트 기기를 활용하고 있습니다. 학생들이 지나치게 디지털 기기에 의존하지 않도록 디지털 리터러시 교육도 중요합니다.

교육은 지식의 양과 질도 살펴야 합니다. 지식과 더불어 적극적이며 긍정적인 태도, 도전하는 자세, 그리고 새로움을 창조하는 실천 능력이 필요합니다.

생성형 인공지능(AI)이 무엇인지, 이를 어떻게 활용할 것인지에 대해 살펴보는 것이 필요합니다. 생성형 인공지능 활용을 통해 학생들이 질문하는 능력을 키울 수 있어야 합니다. 이는 미래 교육의 출발점이 될 수 있지만, 우려되는 부분도 많습니다. 이제는 학교 교육의 본질에 대해 깊이 생각하고 홍익인간의 이념을 실천할 때입니다.

수업은 예술이고, 수업 방법은 기술입니다.

"교육의 질은 교사의 질을 넘지 못한다"는 말이 있습니다. 교사의 역할이 막중하고, 수업은 더더욱 중요하다는 의미입니다. 평생학습 시대 교사는 배움에 솔선수범하는 마음가짐이 중요합니다. 배움이란 매일 채워도 끝이 없습니다. 교사는 디지털 시대의 새로운 에듀테크 도구를 수업에 어떻게 적용할 것인가를 연구할 때입니다. 에듀테크를 이해하고, 올바르게 활용하여 학생들에게 융합적 사고력과 문제해결력을 기르기 위함입니다. 에듀테크 사용법을 익혀 학교 업무와 수업에 적용하는 게 창의적인 교사입니다.

이 책을 통해 에듀테크의 이해와 활용에 대한 소양을 함양하기를 기대합니다. 학교에서 학생과 함께 즐겁고 행복한 교사가 되기를 소망합니다. 다양한 에듀테크 활용을 통해 교육 현장에 조금이나마 이바지할 수 있기를 바라며, 이 글을 바칩니다.

고맙습니다. 감사합니다.

2024. 가을
강신진 드림

21세기 문맹은
읽고 쓸 줄 모르는 사람이 아니라,

배우고(learn), 잊고(unlearn),
새로 배울(relearn) 줄
모르는 사람을 가리킨다.

- 앨빈 토플러 -

차례

3부

에듀테크 교육에 적용하기

4부

행복한 미래 교사 되기

교육과
에듀테크(EduTech)

1. 에듀테크와 교육

2. 미래교육과 에듀테크

3. 인공지능(AI) 시대의 교육

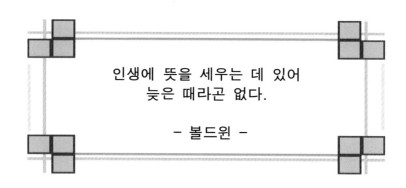

인생에 뜻을 세우는 데 있어
늦은 때라곤 없다.

- 볼드윈 -

1부. 교육과 에듀테크(EduTech)

2023년 11월 한국교육학술정보원(KERIS)에서 발간한 「인공지능(AI) 디지털 교과서 개발 가이드라인」의 첫 장에서는 "500만 학생을 위한 500만 개의 교과서", "모두를 위한 맞춤 교육(Education for All)"이라는 문구가 등장했다. 맞춤형 교육을 누가, 언제, 어떻게 하면 달성될지 생각해 봅니다.

좋은 교육을 위해서는 우선 좋은 환경과 교육 물품이 필요합니다. 교육에 활용되는 도구는 나날이 발전하고 있으며, 더욱 편리해지고 있습니다. 로봇이 활용되고, 생성형 인공지능(AI)이 등장했습니다. AI 디지털 교과서도 도입될 예정입니다. 세상이 더욱 빠르게 변하고 있는 만큼, 교육 환경, 교육제도, 교사, 수업과 평가 등 모든 게 변화해야 합니다.

에듀테크 활용의 목적은 여러 가지 학습 도구를 사용하여 학습 효과를 극대화하는 것입니다. 수업은 교사와 학생이 상호작용하는 활동이며, 에듀테크는 학습에 도움이 되는 도구입니다.

에듀테크(EduTech)

"19세기 교실에서 20세기 교사들이 21세기 아이들을 가르친다."라는 말이 있습니다. 이는 21세기 아이들에게는 그에 맞는 교실 환경을 제공해야 한다는 의미입니다. 변화하는 시대에 미래 교육을 위한 도약으로, 적절한 에듀테크의 보급과 활용은 선택이 아닌 필수입니다. 에듀테크를 통해 학생과의 상호작용으로 행복한 교육이 이루어지기를 기대합니다.

에듀테크(EduTech)란 무엇인가?

에듀테크는 교육(Education)과 기술(Technology)의 합성어로, 앞 글자를 합쳐 '에듀테크(EduTech)'라고 표현한다. 이는 '기술과 교육의 만남으로 학생들의 학습 효과를 높이는 것'으로 해석합니다.

4차 산업혁명 시대를 맞이하여 에듀테크는 교육의 변화를 이끌고 있습니다. 에듀테크는 인공지능(AI), 빅데이터(Big Data), 가상현실(VR), 증강현실(AR) 등 다양한 기술을 통해 교육의 변화를 선도합니다. 기술을 수업에 적용하는 방법입니다. 한마디로 정보통신기술(ICT)을 활용하여 미래 교육을 선도한다는 의미입니다.

에듀테크의 발달과 교육

베이컨은 "아는 것이 힘입니다"라고 했습니다. 유아부터 초등학생, 대학생, 일반인까지 자신의 가치를 향상하도록 관심과 평생 교육 지원이 필요합니다. 학문이나 기술을 배우고 익히는 공부를 평생 해야 합니다. 배우면 알게 되고, 알게 되면 깨닫게 되는 게 진짜 공부입니다.

교사는 학생들이 새롭게 창조하도록 도와주는 교육 전문가로 거듭나야 합니다. 교육의 기본은 질문이고 대화입니다. 그러나 창의적 사고 역량을 기르기 위해서는 설명하는 수업 방법과 문답법만으로는 한계가 있습니다. 요즘 문답을 자동으로 해주는 생성형 인공지능(AI)이 등장했습니다. 생성형 인공지능은 실시간으로 질문에 답하는 대화형 채팅 로봇을 말합니다.

생성형 인공지능은 여러 분야에 편리하게 활용될 것입니다. 정보 검색 방법에 관한 기술도 발전할 것입니다. 미래 교육은 생성형 인공지능이 제공하는 지식보다 더 많은 내용을 알아야 할까요? 그러기는 쉽지 않은 일입니다. 정보를 올바르게 선택하고 판단하는 능력이 필요합니다.

1부 교육과 에듀테크

로켓 전문가인 로버트 고더드는 "불가능이 무엇인가는 말하기 어렵다. 어제의 꿈은 오늘의 희망이며 내일의 현실입니다"라고 언급했습니다. 교육은 내일을 위하는 희망으로 미래 인재를 현재 가르치는 일입니다. 교육은 기억에서 이해로, 이해에서 비교하고 분석하는 능력이 요구됩니다. 그뿐만 아니라 제대로 평가하고 종합하여 새로운 것을 창조하는 능력이 필요합니다.

인간은 무엇인가를 만드는 창작자입니다. 무엇을 어떻게 만들까? 생각한 것을 표현하는 것이 중요합니다. 세상에 필요한 모든 제품은 창작자에 의해 만들어집니다. 창작자가 만든 제품을 가정과 사회에서 편리하게 사용합니다.

기술은 편리한 세상을 위해 더욱 발전하고 있습니다. 상상을 현실로 만드는 것이 기술입니다. 기술은 사회를 발전시키며 세상을 편리하게 만듭니다. 기술에 의한 사회 변화는 계속됩니다. 기술은 생활이고 삶 자체입니다. 기술은 삶의 대부분을 차지합니다. 생활을 편리하게 하는 아름다운 기술을 배우는 것입니다. 무엇인가 창조하는 사람, 만드는 사람이 창작자입니다. 지속 가능한 발전은 세상을 편리하게 하는 기술을 통해 이루어집니다. 기술을 배우고 제대로 익히는 것이 세상 공부입니다.

교육에 기술을 활용하는 것이 에듀테크입니다. 미래 교육은 에듀테크 기술을 활용하여 학생들이 필요로 하는 역량을 개발하도록 지원해야 합니다. 기술은 우리의 삶을 풍요롭게 하며, 미래를 가치 있게 발전시키고 있습니다. 특히 인공지능(AI) 기술은 학생들에게 맞춤형 학습 경험을 제공하고, 학습 효율성을 높이는 데 이바지할 것입니다. 인공지능의 문제점도 발생하고, 어린 학생들에겐 시기상조라는 말도 있습니다.

스티브 잡스는 스마트폰 개발 발표 연설에서 "애플은 인문학과 기술의 교차로에 있다"라고 선언했습니다. 창의적인 제품을 만드는 비결은 상상력과 기술의 혁신을 의미합니다. 기술은 상상을 현실로 만들고, 생활을 편리하게 바꾸며, 사회를 변화시키고, 세상을 변화시킵니다.

최근 생성형 인공지능(AI)의 등장은 교육의 새로운 가능성을 열어주고 있습니다. 새로운 에듀테크 등장은 교육의 변화를 원하고 있습니다. 인공지능은 더욱 발달할 것이며 시대의 변화를 일으킬 것입니다.

1부 교육과 에듀테크

에듀테크의 발달

에듀테크는 과거부터 교육 공학 도구로 활용됐습니다. 초기에는 사전이나 옥편을 통해 한자의 의미와 쓰는 순서를 익혔지만, 시대가 변함에 따라 괘도, 시청각 기기, 전자기기, 컴퓨터 등 다양한 도구가 등장했습니다. 오늘날의 에듀테크는 지속해서 발전하고 있으며, 이는 교육 환경에 큰 변화를 가져오고 있습니다.

과거의 교실은 분필 가루가 폴폴 날리는 학습환경이었습니다. 괘도, 환등기, OHP가 등장하고 ICT의 발전으로 EBS 위성방송, 인터넷 강의, CAI 프로그램, CD 활용 학습, 모바일 학습 콘텐츠로 발전했습니다. 칠판은 지금도 사용되고 있으며, 스마트폰의 출현 이후에는 핸드폰을 교육에 활용하는 경향이 두드러집니다.

사회 변화에 따라 수업 자료와 교육 방식도 변화하고 있습니다. 예를 들어, 교사는 CD를 활용하는 대신 영상을 직접 제작하며 유튜브를 활용하고, 다양한 수업 자료를 통해 교수·학습을 개선하고 있습니다. 최근에는 인공지능 로봇도 교육의 보조 수단으로 활용되고 있습니다. 디지털 교과서도 등장하고, 교육 정보 기술의 종류가 다양해지면서 학생들에게 호기심과 관심을 유도하고 있습니다. 가상현실, 증강현실, 메타버스를 활용한 수업도 증가하고 있습니다.

과거에는 궁금한 점이 생기면 어른이나 주변 사람들에게 질문하여 해결했기에, 경험이 인생의 스승이라는 말이 나오게 된 이유입니다. 현재도 경험 많은 경력자는 소중한 존재입니다. 그러나 현대는 정보의 바다인 인터넷 덕분에 다양한 정보를 쉽게 찾을 수 있게 되었습니다. 아날로그 시대에서 디지털 시대로의 변화가 이루어지고 있으며, 핸드폰과 컴퓨터는 중요한 생활 도구로 자리 잡았습니다.

생성형 인공지능 등장으로 질문의 대상이 변화되고 있습니다. 인공지능(AI)은 우리 생활을 변화시키고 있으며, 교육에서도 점차 활용되고 있습니다. AI는 정보를 요약하고 간단한 질문에 답하는 방식으로 사용되며, 생성형 인공지능(AI)을 교육에 활용하는 추세입니다. 2025년부터 AI 디지털 교과서 도입을 앞두고 교사들은 새로운 고민을 하고 있습니다. 에듀테크는 교육의 변화를 열어주는 도구입니다. 교사는 동료들과 함께 에듀테크 수업을 연구하고 성찰하는 과정을 반복해야 하는 시대가 되었습니다.

1부 교육과 에듀테크

교육의 본질은 학생에게 지식을 가르치는 것뿐만 아니라 잠재된 능력을 끌어내는 것입니다. 좋은 교육은 다양한 경험을 제공하여 배움의 집중력을 유지하고 동기를 부여하는 것입니다. 코로나 시기엔 원격 교육을 진행하면서 교사들은 에듀테크 역량이 성장했습니다. 비대면 수업에선 학생들이 자발적으로 학습하지 않는 경향을 경험했습니다. 이는 평가 결과에서 양극화 현상으로 나타났습니다.

생성형 인공지능의 발전으로 교사는 지식 전달자의 역할에서 벗어나, 학생들이 주도적으로 학습하고 협력하며 문제를 해결하는 능력을 키우는 방향으로 변화해야 합니다.

학생은 이제 지식의 소비자가 아니라 생산자로 성장하도록 길러야 합니다. AI의 가능성과 제한점을 잘 이해하고 효과적으로 활용하는 수업 기술이 중요해질 것입니다. 에듀테크의 발전은 교육에 혁신을 가져올 것이며, 이에 맞춰 교사와 학생이 모두 함께 성장하는 방향으로 나아가야 합니다.

인공지능(AI) 시대의 교육

교육(Education)은 '잠재된 능력을 밖으로 꺼낸다'는 의미를 지니고 있습니다. 이는 선생님이나 부모가 이끌어가는 과정으로, 가르치고 도와주는 활동입니다. 교육은 공부하는 것이며, 공부는 인간의 업(業)입니다.

교사는 평생 배우는 삶을 살아갑니다. 학생을 가르치며 자부심을 느끼고 열심히 교육합니다. 시간이 지나면 처음 접하는 분야에서 부족함을 느끼고 연수를 받습니다. 공부는 연수를 통해 이루어지며 정보를 얻고 열심히 배웁니다. 그러나 의무 연수나 강제 연수는 시간이 지나면 큰 성과를 얻기 어려운 경우가 많습니다. 교사는 함께 하는 공부를 통해 서로 자극하며 성장하고 발전하게 됩니다. 다양한 분야를 공부하는 교사는 개인의 삶에서도 유익함을 얻습니다.

2022 개정 교육과정에서는 자기관리 역량, 지식 정보 처리 역량, 심미적 감성 역량, 협력적 소통 역량, 창의적 사고 역량 등을 핵심 역량으로 제시합니다. 이를 효과적으로 가르치기 위해서는 교육 도구가 필요합니다. 에듀테크 도구를 활

1부 교육과 에듀테크

용하고 재미있게 수업하는 것도 중요합니다. 에듀테크 수업은 학생들에게 핵심 역량을 기르는 방법의 하나입니다.

2022 개정 교육과정은 포용성과 창의성을 갖춘 주도적인 사람으로 성장할 수 있도록 교육 체제를 혁신하고자 합니다. 기존 수업 문화에 대한 성찰을 통해 '깊이 있는 학습'을 대안으로 제시하며, "더 나은 미래, 모두를 위한 교육"을 목표로 하고 있습니다. 교육과정은 학습자들이 디지털 전환, 기후 환경 변화, 학령인구 감소 등 미래 사회 변화에 적극적으로 대응할 수 있는 기초 소양과 역량을 함양하여, 포용성과 창의성을 갖춘 주도적인 사람으로 성장하도록 하는 데 목적이 있습니다.

깊이 있는 수업은 '깊이 있는 학습'을 추구하는 수업이다. 이러한 학습이 교실에서 이루어지려면 교사의 깊이 있는 사고를 바탕으로 수업 설계가 이루어져야 하며, 교수·학습 활동이 깊이 있는 학습이 가능하도록 전개되어야 합니다. 깊이 있는 수업은 질문하고, 몰입하고, 탐구하며, 표현하고, 문제 해결을 하는 수업형식이다.

생성형 인공지능(AI)의 등장은 미래 교육의 변화를 촉진할 것으로 전망됩니다. 생성형 인공지능 ChatGPT의 등장은 인류의 삶을 혁신할 것이라는 기대를 모으고 있습니다. 생성형 인공지능(AI)과 에듀테크 활용으로 창의력과 사고력, 질문하는 능력을 키우는 게 중요합니다. AI는 사회를 변화시킬 것이며, 교육에 AI 기술도 활용해야 합니다. 새로운 유형의 학문도 등장하고, AI의 도움을 받아 교육이 더욱 희망차게 변화하기를 기대합니다.

　교육의 패러다임이 변화하는 시대입니다. 미래 교육은 온고지신(溫故知新)입니다. 전통적인 교육 방식에서 좋은 것은 이어받고, 새롭게 바꿔야 할 것은 바꾸어야 하는 시대입니다. 교사의 역할이 변화하고, 교육 방법이 변화하고, 교육 내용이 변화하는 시기입니다. 이제는 교육제도와 교육 시스템이 변해야 하는 때입니다. 교육에서 중요한 것은 속도가 아니라 방향입니다. 선두 주자(First Mover) 교사의 수업 혁신은 우리나라의 미래를 좌우할 것입니다.

　진정한 교육은 세상의 변화를 알고 인간과 자연의 이치를 따르며, 세상에 이바지하는 인간을 육성하는 것입니다. 공부하여 세상을 이롭게 하는 홍익인간이 되는 것이 교육의 궁극적인 목표입니다.

미래를 준비하는 학교

4차 산업혁명 시대는 인공지능(AI) 시대입니다. 인공지능으로 기술 혁신은 이제 막 시작되었으며, 다양한 분야에서 활용될 것입니다. AI는 음악, 미술, 글쓰기 등 창작 활동과 학습 보조 도구로도 사용될 수 있습니다. 학생들의 창의력을 높이고 학습 동기를 강화하는 데 큰 역할을 할 것으로 기대됩니다.

과거 MS Office의 파워포인트가 처음 나왔을 때 전 교사 의무 연수를 시행했던 기억이 납니다. 일부 시도 교육청은 컴퓨터 능력을 향상하기 위해 컴퓨터 자격증 취득자에게 승진 가산점을 부여하기도 했습니다. 디지털 기술과 인공지능의 발달로 평생 학습하는 시대가 됐으며, 이제는 디지털 기술 활용은 일상이 되었습니다. 디지털 기술과 에듀테크를 어떻게 활용하느냐가 중요합니다.

교사는 에듀테크를 수업에 적용하여 교수·학습을 개선해야 합니다. 에듀테크 활용 방법을 익히고, 디지털 기기를 효율적으로 사용하는 방법을 배워야 합니다. 수업 시간에는 미디어 리터러시 교육도 필요하며, 에듀테크를 올바르게 사용하도록 가르쳐야 교육 전문가로 인정받을 수 있습니다.

인공지능이 등장한다고 해서 모두가 인공지능 전문가가 되는 것은 아닙니다. 인공지능, 코딩, 컴퓨터, 로봇, 기술, 에듀테크 교육 등은 교육의 수단일 뿐 활용이 목적이 아닙니다. 이를 활용하여 문제를 해결하는 융합적인 사고력을 함양하고 창의력을 기르는 교수·학습 방법을 개선하는 것입니다.

에듀테크의 기술은 교수·학습 방법 개선에 필수적이며, 이를 통해 맞춤형 교육과 수준별 학습이 가능해질 것입니다. 디지털 시대의 인재상은 컴퓨팅 사고력을 갖춘 능력도 필요로 합니다. 따라서 디지털 시민성 역량을 함양하도록 가르쳐야 합니다. 에듀테크를 활용하여 융합적인 사고력을 키우는 수업 시간이 확대될 것이며, 창의성을 갖춘 융합인재를 양성해야 합니다.

현재 교실 환경에서 학습은 어떻게 향상할 수 있을까요?

교사는 수업 시간에 같은 내용을 같은 속도로 가르치고 있지만, 학생 개인의 역량 차이가 존재합니다. 이는 실력과 학력의 양극화로 이어지므로, 이를 해소하는 맞춤형 교육, 즉 수준별 학습이 중요합니다. 이를 위해 학생 수가 적은 교실 환경이 필요하며, 디지털 환경에 걸맞은 시설과 기기의 보급이 요구됩니다. 또한, 교사가 디지털 기기를 활용하여 수업을 혁신하는 전문성 연수도 필수입니다.

2016년 스위스 다보스에서 열린 세계경제포럼에서 클라우스 슈밥 박사는 제4차 산업혁명 시대를 선언했습니다. 로봇공학, 인공지능, IoT 등 여러 분야에서 새로운 기술 혁신이 나타나고 있으며, 교육 현장에도 많은 변화가 기대됩니다. 교사는 에듀테크를 수업에 적용하여 학생 개개인의 역량 차이를 극복해야 합니다. 에듀테크를 활용하여 맞춤형 학습을 통해 학습 목표를 달성할 수 있기를 기대합니다.

2025년부터 초등학교 3·4학년, 중학교 1학년, 고등학교 (공통·일반선택 과목)의 수학, 영어, 정보 과목에 인공지능 디지털 교과서가 도입될 예정입니다. 계속해서 국어, 사회, 역사, 과학, 기술·가정 등 전 교과로 확대될 계획입니다. 그러나 AI가 가르친다고 해서 학생들이 똑똑해지는 것은 아닙니다. 미성숙한 학생들을 누가 가르칠 것인지, 성숙한 인간으로 성장할 수 있을지에 대한 고민이 필요합니다. 교육은 인간다움과 따뜻한 인간 중심 교육이 본질입니다.

교육부는 AI 교과서 도입이 단순히 디지털 기기를 수업에 적용하는 것을 목표로 하지 않는다고 강조합니다. 토론식 수업, 거꾸로 학습, 프로젝트 학습 등 학생 참여 중심 수업으로 교사와 학생 간 소통과 상호작용을 강화해 수업을 혁신하는 것이 목표입니다.

교육에서 가장 중요한 자원은 컴퓨터나 인공지능, 에듀테크 지원, 디지털 교과서, 냉난방기가 아닙니다. 학생들과 직접 소통하는 교사가 가장 중요합니다. 학생들을 미래 사회에서 요구하는 역량을 갖춘 인재로 성장시키는 것이 중요한 일입니다. 현재의 교육 시스템은 변해야 하며, 디지털 기기의 양극화 문제도 해결해야 합니다.

　　4차 산업혁명을 이끌어갈 창의적이고 융합적 사고력을 갖춘 인재를 양성하는 교육이 필연적입니다. 에듀테크는 맞춤형 수업과 수준별 학습을 위해 필요하며, 교육 시스템의 변화에도 중요합니다.

　　생성형 인공지능 활용은 거스를 수 없지만, 그 부작용을 최소화하는 지혜가 필요합니다. 에듀테크 활용에도 문제는 있습니다만, 적절하게 활용할 수 있는 능력은 더욱 중요합니다. 교육 정보 기술 활용 통해 행복한 수업 시간이 되길 희망합니다. 변화하는 환경에 적응하고, 똑똑한 기술을 따뜻하게 사용하는 교사가 되길 소망합니다.

　　　1부 교육과 에듀테크

에듀테크와 수업 혁신

에듀테크의 활용은 미래 교육의 방향입니다. 에듀테크는 학습하기 위한 도구이지, 그 자체가 목적은 아닙니다. 에듀테크의 목적은 교육의 질을 높이는 것입니다. 이는 학습자 중심의 맞춤형 교육, 상호작용 증진, 학습 동기 부여 등을 통해 교육의 형평성과 접근성을 높이는 데 이바지합니다. 또한, 에듀테크는 교사의 업무 효율성을 높이고, 학습 분석을 통해 개별 학습자에게 최적화된 교육을 제공할 수 있습니다.

에듀테크를 활용한 수업에서는 학생들의 적극적인 참여와 상호작용이 중요합니다. 학생들이 플랫폼을 사용하여 자기 생각을 표현하는 과정에서 학습이 이루어집니다. 디지털 기기를 적절하게 사용하여 학생들의 수업 참여와 집중을 장려해야 합니다. 하지만 수업 시간에 디지털 교과서 도입으로 사용 시간이 늘면 문해력과 집중력이 향상될지 우려되기도 합니다. 잠깐의 호기심은 있을 수 있지만, 학습에서는 자기 주도성이 중요합니다. 에듀테크는 수업 단계에서 적절하게 활용할 수 있지만, 교육의 만능열쇠는 아닙니다. 따라서 수업 시간에 적절히 활용하는 것을 권장합니다.

학교 현장은 교육과정의 계획에 따라 수업이 이루어집니다. 성취 기준을 중심으로 교과서를 통해 학습 내용을 가르칩니다. 수업 준비를 철저하게 한다고 하더라도 대부분 강의식으로 진행해야 계획한 진도를 나갈 수 있습니다. 수업 시간에 딴짓하는 학생들이 있어 맞춤형으로 가르치기에는 너무나 벅차므로, 수업 시간 부족으로 진도 맞추기 수업을 하게 됩니다. 학기당 수업 일수에 맞춰 진도를 나가야 하고, 평가하고 기록해야 합니다. 평가는 주로 정답을 고르는 선다형(객관식)으로 출제했습니다. 평가 체제가 바뀌어야 수업이 바뀝니다. 논술형과 서술형으로 바뀌면 수업 혁신이 이루어질 것으로 기대합니다. 현재 대입 수능 위주의 객관식 평가가 언제까지 유지될지 지켜봅니다.

교사의 끊임없는 노력으로 교육하다 보면, 시행착오는 당연합니다. 각종 에듀테크 프로그램들을 모두 배워 수업에 활용해야 하는 것은 아닙니다. 교과에 적절하게 사용할 에듀테크 선정에 대해 고민이 많을 것입니다. 에듀테크를 수업에 어떻게 활용할 수 있을지가 우선입니다. 또한 이를 통해 학생들의 역량을 어떻게 길러줄 수 있을지를 함께 연구하는 것은 교사의 역량입니다. 이에 대한 충분한 준비가 필요하며, 학습 효과를 극대화하는 에듀테크를 선택하는 것이 남아있습니다.

1부 교육과 에듀테크

생성형 인공지능 기술은 수업 운영에서 교수·학습 설계에 활용할 수 있으며, 학교 행정업무 수행에 아이디어를 얻을 수 있습니다. 인공지능 활용으로 업무 경감과 교육의 질을 향상하기를 기대합니다.

에듀테크를 활용하여 역동적인 수업을 설계하는 일은 교사가 할 수 있는 일입니다. 다만, 연수 시간과 활용 사례를 나누는 교사의 전문적 학습 공동체가 필요합니다. 교사는 에듀테크를 활용하여 수업을 효율적으로 진행하고, 학생의 학습을 지원하는 능력을 갖춰야 합니다. 디지털 역량은 에듀테크 활용 방법을 익히고 사용하는 일입니다. 학생들의 역량이 성장하도록 좋은 수업 도구로 활용하는 것이 중요합니다.

수업의 혁신은 교육 효과를 극대화하는 방법입니다. 학생들이 질문하는 능력을 키울 수 있도록 교육해야 합니다. 교육은 시대가 바뀌면 변해야 하고, 사람의 인성과 창의성을 갖추는 교육은 기본입니다.

디지털 교과서와 미래 교육

  디지털 교과서가 등장한 지 10여 년이 지났습니다. 현재 우리는 수업 관련 동영상, 360도 카메라, 증강현실, 가상현실 등 에듀테크를 활용하여 수업을 진행하는 시대에 살고 있습니다. 그러나 이러한 기술 활용에 대한 좌충우돌은 자연스러운 현상입니다. 교육부에 따르면 2025년부터 디지털 교과서를 사용한다고 발표했습니다. 초등학교 3·4학년, 중1, 고1을 대상으로 수학, 영어, 정보 과목에 AI 디지털 교과서를 도입할 예정이며, 2028년까지 전 과목으로 확대할 계획입니다. 디지털 교과서는 특정 교과의 학습을 쉽고 재미있게 할 수 있도록 설계된다지만, 담당 교사가 이를 적극적으로 활용하길 기대할 뿐입니다.

  디지털 시대의 교육 방식은 디지털 기기를 활용하여 학습을 효과적으로 진행하는 것을 의미합니다. 특히, 사고하고 배우는 역량이 더욱 중요해졌습니다. 에듀테크를 활용하여 수업을 변화시키려는 열정 넘치는 교사들이 많습니다. 오늘날 교육과 디지털 기술의 접목은 필수적이며, 디지털 환경의 변화에 따라 학생과 교사 모두 변화해야 합니다. 변화를 선

1부 교육과 에듀테크

도하는 교사는 "바꿔보자"라고 말하지만, 학교는 즉시 변화를 이루기 어려운 상황입니다. 교육과정에 따라 교육이 이루어지기 때문입니다. 최근 디지털 기기에 대한 과도한 의존도 등 부작용을 우려해 디지털교과서 도입을 연기하자는 의견, 서책형 교과서와 병행하기에 문제없다는 의견도 있습니다. 디지털시대에 맞춰 AI 교육이 필요하다는 의견도 있지만, 교과서를 디지털화하는 것에 대해선 우려의 목소리가 있습니다.

ChatGPT의 등장 이후 생성형 인공지능(AI)에 관한 관심이 급격히 높아졌습니다. 교육 분야에서는 생성형 AI의 이용률이 학교 급별, 교사 나이, 성별, 지역, 교과목에 따라 차이가 있습니다. 과거 컴퓨터의 등장으로 ICT 활용 교사 연수가 많았던 것처럼, 이제는 인공지능(AI) 연수로 대체되고 있습니다. 인공지능은 질문을 처리하고, 정보를 제공하며, 문제 해결 방법도 제시합니다. 4차 산업혁명 시대의 교사는 평생학습을 해야 하며, 창의적인 인재를 양성하고 문제 해결 능력을 갖춘 교육을 위해 에듀테크를 활용해야 합니다. 그러나 교사가 가르치려 해도, 학습에 적응하지 못하는 동기가 낮은 학생들에게는 어려움이 따릅니다. 최신 기기나 장비는 시간이 지남에 따라 에듀테크 기술을 수용하거나 거부하게 됩니다. 변화에 적응하려는 교사는 시행착오를 거쳐 더욱 성장하게 됩니다.

교육 현장에는 인공지능을 갖춘 AI 로봇 선생님이 등장할 것입니다. 이러한 AI 로봇 선생님의 도움으로 개인별 맞춤형 교육 효과를 기대할 수 있습니다. 인공지능 로봇 선생님은 학습의 보조 수단으로 활용될 것이며, 디지털 교육을 통해 학습자의 개인적 특성에 맞는 맞춤 교육이 제공되어야 합니다. 인공지능 기술은 학생 개개인의 수준별 학습이 가능하다고 강조합니다. 그러나 기본적인 학습 설계와 교육은 여전히 교사가 담당해야 합니다.

인공지능형 디지털 교과서가 교육 현장에서 보조적인 역할을 할 것으로 기대됩니다. 자기 주도적 학습을 유도하여 문제 해결 능력을 기를 수 있는 장점도 있습니다. 1:1 개인별 맞춤 교육이 가능해질 것입니다. 한마디로 수준별로 문제를 풀고 문제를 분석해주며 레벨업(Level up)하는 경우도 생길 겁니다. 학생들이 필요에 따라 자기 주도적으로 체험하고 경험하며 문제를 해결할 수 있는 학습 도구로 활용될 것입니다. 반면, 학교에서는 학생들의 디지털 기기 의존도를 우려하고 있습니다. 단순 문제 풀기식의 디지털 학습은 호기심과 주도성 능력 향상과는 더욱 거리가 멀게 할 뿐입니다.

디지털 교과서 도입 이후 학생들의 독서 기피 현상이 더욱 심화할까 걱정하는 목소리가 높습니다. 말하기, 듣기, 읽

1부 교육과 에듀테크

기, 셈하기 등 학업의 기초가 되는 독서 교육을 강화해야 합니다. 생성형 AI의 발달로 교사는 지식 전달자의 역할에서 벗어나 학생들이 주도적으로 학습하고 협력하며 문제를 해결하는 능력을 키워주는 수업으로 변화해야 합니다.

디지털 교과서가 전통적인 교과서보다 개인화된 학습의 관리와 피드백은 자료의 제공에는 효과적일 것입니다. 다만 교육은 가르치는 교사의 지지와 격려, 칭찬의 동기와 본인의 의지를 일깨우는 게 제일 중요합니다.

교사는 다양한 에듀테크를 활용하여 수업을 효율적으로 진행하고, 학생의 학습을 지원하는 능력을 갖추어야 합니다.

디지털 교과서와 AI 기술의 도입은 교육 현장에 큰 변화를 가져올 것입니다. 교사와 학생이 모두 이러한 변화에 적응하며, 기술을 효과적으로 활용할 수 있는 역량을 키우는 것이 중요합니다. 디지털 기술 활용 교육도 중요하지만, 우리 삶 속에 들어온 디지털 기술을 어떻게 사용해야 할지 이용자의 윤리 교육은 더더욱 중요하다고 강조합니다.

디지털 시대의 교육은 단순한 지식 전달을 넘어, 학생들이 주도적으로 학습하고 문제를 해결할 수 있는 환경을 조성하는 방향으로 나아가야 합니다.

디지털 리터러시

  학생들이 디지털 기기를 활용하는 데는 개인적인 차이가 있게 마련입니다. 디지털 기기는 사용 목적에 따라 부작용이 발생할 수 있습니다. 따라서 디지털 기기 활용에는 올바른 소양 교육이 중요합니다.

>   디지털 리터러시(Digital Literacy)란
> 디지털을 이해하고 다룰 줄 아는 능력뿐만 아니라, 디지털 플랫폼을 통해 얻게 되는 정보에 대한 이해, 판단, 평가, 활용 등의 활동을 포함합니다.

  디지털 리터러시 교육이 필요한 이유는 인터넷의 수많은 정보 중 올바른 정보를 선별해야 하기 때문입니다. 최근에는 생성형 인공지능과 디지털 매체를 통한 소통이 증가했습니다. 이처럼 변화하는 시대의 소통 방식에 잘 적응하기 위해서는 디지털 시대의 소통 방법을 수용할 필요가 있습니다. 미래 사회에 필요한 역량을 키우기 위해서는 디지털 도구를 자기 주도적으로 활용할 수 있어야 합니다.

    1부 교육과 에듀테크

디지털 기기와 함께 디지털 교과서도 개발되고 배포될 예정입니다. 이는 모두 교육의 주체가 아니라 보조 기기입니다. 교사는 활용의 주체가 되어야 하며, 올바른 방향을 설정해야 합니다.

교육은 교사와 학생이 상호작용하는 과정입니다. 학생은 교사의 인정과 지지를 받으면 더 잘하게 됩니다. 칭찬과 격려는 로봇도 가능하지만, 교사와의 신뢰도가 어느 정도인지가 중요합니다. 오늘날 교육은 이상과 현실의 괴리 속에 있습니다. 현실에서는 가르치는 것을 거부하는 학생도 존재합니다. 디지털 기기가 교육 환경을 어떻게 변화시킬 수 있을까요? 디지털 교과서는 교육의 보조 기기이며, 교육 시스템, 평가, 교수 학습의 변화가 필요합니다. 더 나아가 교육의 내실화를 위한 성장도 중요합니다.

생성형 인공지능은 수업 전문성을 신장하기 위해 사용될 수 있습니다. 디지털 기기 도입이 전부가 아닙니다. 과거 컴퓨터를 보급하면 모든 게 해결될 것이라는 기대가 있었지만, 문제점이 한둘이 아닙니다. 디지털 기기는 보조 자료일 뿐이며, 교육의 도구입니다. 디지털 리터러시 교육과 인간의 윤리 교육은 평생 중요합니다. 개인별 맞춤형 교육의 가능성과 한계가 존재하지만, 디지털 교과서의 등장으로 학생 개인별로 수준별 문제를 풀고 피드백을 받을 수 있게 됩니다. 그러나 교사와의 상호작용이 아니라 인공지능과의 상호작용이 이루어질 것입니다. 또한 개인의 학습량과 수준에 따른 자료가 수집될 것입니다.

디지털 시대 학교에서만이라도 책을 제대로 읽는 환경이 되길 기대합니다. 교사와 학생이 행복할 수 있는 정책과 환경이 마련되어야 합니다. 미래는 기다리는 것이 아니라 뚜벅뚜벅 걸어가는 것입니다. 결국, 공부는 돈을 벌기 위한 것이 아니라 삶을 행복하게 하는 과정이어야 합니다. 잘하는 것을 찾는 교육, 재능을 키우는 교육으로 함께 나아갈 수 있도록 적극적으로 지원해야 합니다.

인공지능 시대의 교육은 디지털 기기를 활용하여 교과 역량을 함양하고, 핵심 역량을 배양하며 홍익인간 교육을 실현하는 것입니다. 미래의 교육은 단순히 지식을 전달하는 것이 아니라, 삶의 질을 향상하는 방향으로 나아가야 합니다.

에듀테크(EduTech) 유형

최근 수업에 적용할 학습 콘텐츠는 다양합니다. 학생들의 학습을 관리해주는 시스템도 있으며, 화상 수업 도구도 많이 존재합니다. 교육용 소프트웨어, 온라인 학습 플랫폼, 교육용 로봇 등 여러 가지 유형으로 나눌 수 있습니다. 에듀테크의 유형을 주제별로 간단히 살펴봅니다.

첫째, 원격 화상 수업 도구

교사의 원격수업을 지원하는 도구의 예시입니다. 학생들의 학습을 지원하는 화상 기능은 다양합니다. 모든 기능을 다 배우고 익힐 필요는 없습니다. 각 학교급에 따라 교사는 적절한 기능을 가진 에듀테크를 선택하여 수업에 적용하는 것이 미래 역량입니다.

소통을 위한 화상 수업 에듀테크 예시

		기타

둘째, 교수·학습 지원 에듀테크 종류

교수·학습 지원 에듀테크는 다양합니다. 하나의 에듀테크를 검색하고 미리 사용해 보는 것이 중요합니다. 각각의 에듀테크를 사용하면서 장단점을 비교하고 분석하여 수업에 적절하게 활용해야 합니다.

교수·학습 지원하는 에듀테크 예시

디지털교과서	이다	수학팀점대
	ChatGPT	기타

셋째, 실감형 에듀테크의 종류

다양한 실감형 콘텐츠 모두 사용할 수는 없을 겁니다. 우리나라 문화유산, 가상현실 체험하기 등 살펴봅니다.

실감형 에듀테크 예시

넷째, 코딩 관련 에듀테크 프로그램

최근 코딩 관련 프로그램은 다양하게 개발되고 있습니다. 특히 블록형 코딩 프로그램은 인공지능과 연계된 것들이 등장했습니다. 피지컬 도구와 코딩 프로그램은 제시된 예시 이외에도 다양하므로 기능을 살펴보기 바랍니다.

SW 교육 코딩 관련 에듀테크 예시

다섯째, AI 관련 에듀테크

AI 관련 에듀테크로 인공지능을 이해하기에 적절한 에듀테크 프로그램입니다.

AI 관련 에듀테크 예시

		기타

여섯째, 실시간 협업 관련 에듀테크

수업 시간에 교사와 학생, 또는 학생들끼리 협업할 수 있는 에듀테크입니다. 구글 잼보드, 멘티미터, 패들렛 북크리에이터 활용 가능합니다. 기타 종류는 다양합니다.

실시간 협업 관련 에듀테크 예시

일곱째, 저작도구 관련 에듀테크

창작하는 교수·학습 자료를 창작하는 인공지능 저작도구로 수업 결과물이나 창작물 산출에 적절합니다.

저작도구 관련 에듀테크 예시

TINKERCAD	miri canvas	m
✂️	tooning	기타

여덟째, 퀴즈 피드백 관련 에듀테크

퀴즈 평가 피드백이 적절한 코스웨어다. 형성평가 및 채점하고, 피드백할 수 있는 인공지능입니다.

퀴즈 평가 피드백 관련 에듀테크 예시

Kahoot!	ThinkerBell	Mentimeter
인공지능 DANCHOQ	QuizN	기타

팅커벨과 퀴즈앤은 국내 사이트입니다. 설문 조사한 내용을 그래프나 차트 등으로 다양하게 나타내고 싶을 때는 멘티 미터를 활용하는 것을 권장합니다.

이 책에 소개된 에듀테크 제품 외에도 다양한 에듀테크 제품들이 있습니다. 학교 현장에서 다른 에듀테크 제품들도 찾아보고 적절하게 활용하시기를 권장합니다.

수업을 지원하는 에듀테크가 많습니다. 모든 에듀테크를 다 배우고 익힐 수는 없는 일입니다. 수업에 사용할 적절한 에듀테크를 익혀두는 게 좋은 방법입니다.

에듀테크를 수업에 적용하기 좋은 방법은 [지식 샘터]에 연수 신청하여 사용법과 정보를 얻는 것입니다. 지식 샘터 연수는 교사에게 직무 이수로 인정됩니다. 쉽고 재미있고 의미 있는 것을 잘 선택하여 수업이나 업무에 적절하게 활용하시길 바랍니다.

지식 샘터

　[지식 샘터]는 다양한 에듀테크 사용법을 교사가 제공하고 있습니다. [지식 샘터]는 선생님들이 가진 에듀테크 역량을 '실시간 화상 강좌'와 '질의응답' 등을 통해 자유롭게 공유하는 쌍방향 온라인 지식 공유 서비스입니다.

　[지식 샘터] https://educator.edunet.net/

　[지식 샘터] 강좌는 교사 직무연수로 인정됩니다. 전국의 모든 유·초·중등 선생님이라면 누구나 지식 샘(강사)이 되어 강의할 수 있으며, 수강생으로 지식 샘의 강좌에 참여할 수도 있습니다.

[강좌 수강]은 지식센터에 로그인하여 강좌를 신청하면 됩니다. 저자도 지식 샘터의 다양한 연수를 수강했습니다.

[지식 샘터] 지식 샘 강좌의 주제 예시입니다.

번호	구분	내용
1	온라인플랫폼	e학습터, 잇다(ITDA) 등 교육플랫폼을 활용한 수업 방법 및 학급경영 노하우
2	저작도구	저작도구를 활용하여 영상물, 문서, 이미지 등의 교육콘텐츠를 제작하는 방법
3	AI(SW)교육	인공지능이나 SW 교육에 대한 교수·학습 방법
4	교과별콘텐츠	교과별로 다양한 콘텐츠를 활용한 수업 방법
5	화상 수업	다양한 화상 도구 소개 및 활용 방법 수업저작권으로 온·오프라인 수업 상황에서 선생님들이 알아야 할 저작권 관련 지식

1부 교육과 에듀테크

[지식 샘터] 강좌

현재 에듀테크 활용에 대한 맞춤 강좌 예시입니다. 주제별 1강좌에 2~3시간의 실시간 원격 교육입니다.

교사가 이끄는 교실 혁명 가치

변하는 것과 변하지 않는 것이 있으며 여기 변하는 것이 있습니다.

학생들의 수업 환경은 지금껏 변해왔고 앞으로도 변하겠지만 변하지 않는 것이 있습니다. 선생님이 학생을 알아가고 지지하며 성장할 수 있도록 돕는 교육의 본질은 변하지 않습니다.

AI 디지털 교과서는 도구일 뿐, 본질을 세우는 이가 교사이기 때문입니다. 이렇게 교육의 본질을 바로 세우는 것을 우리는 교사가 이끄는 교실 혁명이라고 말합니다.

첫째, 교사와 교육관계자는 아이들의 삶을 위한 교육을 만들어가야 합니다. 이를 위해 인공지능 기술이 갖는 기회와 위험을 모두 이해하고 아이들 삶에 미치는 영향을 고려해야 합니다.

둘째, 교사와 교육관계자는 아이들의 학습 성공 경험을 만들어가야 합니다. 이를 위해 언어, 장애, 지역, 계층과 관계없이 맞춤 학습의 기회를 누릴 수 있도록 기술을 효과적으로 활용해야 합니다.

셋째, 교육관계자는 교사가 아이를 관찰하고 강점을 끌어낼 수 있도록 최대한 지원해야 합니다. 이를 위해 모든 아이는 기술로 측정할 수 있는 범위 이상의 능력이 있음을 고려해야 합니다.[1]

---

1) 지식 샘터
https://educator.edunet.net/main/html/intro.html

미래를 위한 수업

2022 교육과정에서는 '깊이 있는 학습'을 추구합니다. 단순 암기 위주의 교육에서 높은 수준의 사고력이 중요합니다. 개념 기반 탐구학습의 맥락에서 깊이 있는 학습을 강조합니다. 교육 현장에서는 기대와 우려가 큽니다.

미래형 교육 환경에 적합한 교실 수업 혁신을 위해 교사에게 적극적인 지원을 요구합니다. 행정업무를 수행하고 배우며 가르치는 일이 교사를 더욱 힘들게 하고 있습니다. 그렇다고 포기하거나 무관심할 수는 없습니다. 시행착오를 최소화하기를 기대합니다.

Bloom의 교육 목표 분류는 가장 기본적인 인지적 영역에 대해 구체적으로 제시합니다.

인간의 사고는 기억, 이해, 적용, 분석(추론), 평가(문제 해결), 창안으로 구성되어 있습니다. 이는 상위 단계로 갈수록 사고 과정이 더 복잡해지고, 점점 고차원적 사고의 단계로 진입하게 되며, 평가 단계에서는 복합적 사고 과정을 겪게 됩니다. 이는 문제 해결 시 한 가지 방법(개념, 지식 등)만 사용하지 않고 여러 가지를 적용하고 추론하여 해결하는 것을 의미합니다.[2]

---

2) 나무위키 https://namu.wiki/w/교육목표 분류

Bloom의 교육 목표는 학습 영역을 인지적 영역, 정의적 영역, 신체적 영역의 세 가지로 구분하며, 각 영역의 하위 학습 내용을 가장 단순한(저차원) 수준에서부터 가장 복잡한(고차원) 수준으로 계층적으로 분류합니다.

인지적 영역은 '지적 능력, 기능 발달'에 관련된 영역으로, '지식-이해-적용-분석-평가-종합'의 6단계 수준으로 분류됩니다.

정의적 영역은 '태도, 믿음, 가치관 발달'에 관련된 영역이며, '수용-반응-가치화-조직화-성격화'의 5단계 수준으로 분류됩니다.

신체적 영역은 '신체적 활동과 기능 발달'에 관련된 영역으로, '모방-조작-정확-연합-숙달'의 5단계 수준으로 분류됩니다. 3)

기본적인 지식을 습득하는 게 개념을 기억하고 이해 단계로 시작됩니다. 비교 분석하고 추론하는 능력이 상상이고 생각이고 이를 표현하는 게 종합적 사고입니다. 4)

---

3) 블룸의 교육목표 분류
https://citt.ufl.edu/resources/the-learning-process/designing-the-learning-experience/blooms-taxonomy/
4) 블로그 신박에듀 https://edumon.tistory.com/260

1부 교육과 에듀테크

우리나라 교육은 지식, 이해, 사고력 등 인지적 능력 개발
을 목표로 하여 교육과정에서 수업하고 평가합니다. 따라서
교사는 무엇을, 어떻게 가르치고, 무엇을 평가해야 하는지에
대한 고민이 선행되어야 합니다.

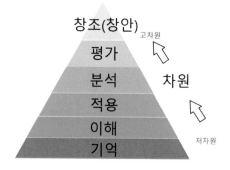

교육에서 창의적인 아이디어와 창작은 매우 중요합니다.
요즘의 인공지능은 예술과 작가에 대한 우리의 인식을 도전
하며, 인간과 같은 창의력을 모방합니다.

조지 버나드 쇼(1856~1950)는 "상상은 창조의 시작이다.
간절한 바람을 상상하고, 그다음 상상한 것을 바라고, 결국
엔 바라던 것을 창조한다."라고 말했습니다. 생각하는 상상
력이 곧 현실이 되는 것입니다. 새로운 것은 상상력의 결과
이며, 창조는 상상과 지식의 융합입니다. 모든 정보를 활용
하여 문제를 해결하는 것이 종합적 사고의 창안이고 창조입

니다. "모방은 창조의 어머니"라고 합니다. 새로운 것을 창조하거나 개발하는 것이 목적입니다. 미래 수업의 궁극적인 목표는 창조이며, 창조는 새로운 것을 만들어내는 결과물입니다.

"구슬이 서 말이라도 꿰어야 보배"라는 속담을 생각해봅니다. 구슬이 많아도 실에 꿰지 않으면 쓸모가 없습니다. 아무리 좋은 것이라도 쓸모 있게 다듬어 놓지 않으면 소용이 없습니다. 배운 지식을 쓸모 있게 만들고 새롭게 다듬어야 값어치가 생깁니다. 구슬을 꿰는 일이 진짜 교육입니다. 개인의 잠재력을 깨우고 관심 있는 분야에 필요한 기술을 배울 수 있도록 도와주는 것입니다. 다양한 경험과 잠재 능력이 결합하면 숨어 있던 잠재력이 발휘되는 게 창의적인 아이디어입니다. 융합적인 사고의 결과가 문제를 해결하는 방법입니다. 새로운 것을 만들어내는 게 창조입니다.

스티브 잡스(1955~2011)는 "창조성은 여러 가지 것들을 연결하는 것일 뿐이다. 창의적인 사람들에게 어떻게 그런 일을 할 수 있었느냐고 물어보면 그들은 약간의 죄책감을 느낄 것이다. 그들은 실제로 한 일이 없기 때문입니다. 그들은 그저 뭔가를 보았을 뿐이다. 시간이 지나면 그것이 그들에게 명백해 보인다. 그래서 그들은 자신의 경험을 연결해 새로운 것을 합성할 수 있었던 것이다."라고 했습니다.

1부 교육과 에듀테크

아인슈타인은 "교육의 목적은 인격의 형성에 있다. 교육의 목적은 기계적인 사람을 만드는 데 있지 않고, 인간적인 사람을 만드는 데 있다. 또한 교육의 비결은 상호존중의 묘미를 알게 하는 데 있다. 일정한 틀에 짜인 교육은 유익하지 못하다. 창조적인 표현과 지식에 대한 기쁨을 깨우쳐 주는 것이 교육자 최고의 기술이다."라고 했습니다. 인공지능 시대에는 상상력과 창의력이 더욱 중요해지고 있습니다. 교육은 미래를 위한 창조이며, 융합형 인재를 양성하는 것입니다. 모든 사람은 각자 재능을 갖고 있다.

교육은 그 방향이 중요하며, 대한민국 교육의 이념은 홍익인간입니다. 홍익인간은 '널리 인간을 이롭게 하라'는 가르침입니다. 홍익인간의 정신을 가슴속에 새기면서 함께 잘 사는 사회를 만드는 교육을 기대합니다.

다중지능과 미래교육

하라리 교수는 『사피엔스』에서 학교 교육에서 배우는 지식의 수명에 대해 "2050년대 세상이 어떻게 달라질지 아무도 모른다. 우리 자녀 세대가 40대가 되었을 때, 그들이 학교에서 배운 내용 중 80~90%는 쓸모없을 확률이 높다"고 예측했습니다. 이는 현재 우리가 가르치고 배우는 내용이 학생들의 미래에 얼마나 가치와 영향을 줄지 미지수라는 점을 시사합니다. 이러한 점에서 오늘날 학교 교육의 방향성을 고민해보아야 합니다.

최근 에듀테크(Edu-Tech)의 활용은 확산하고 있습니다. 다양한 컴퓨터 소프트웨어 및 디지털 기기를 통해 학생 맞춤형 교육이 가능해졌습니다. 에듀테크는 수업에 대한 흥미를 높이고, 학생들의 디지털 역량을 강화하는 데 이바지할 것으로 기대됩니다. 미래 사회는 기술의 발달로 인해 큰 변화를 겪을 것이며, 이에 따라 법고창신(法古創新) 정신이 필요합니다. 즉, 과거를 바탕으로 새로운 것을 창조해야 하며, 우리는 변화를 수용하고 선도하는 선택을 해야 합니다. 이러한 변화의 주역은 바로 교사들입니다.

1부 교육과 에듀테크

인공지능 시대에는 지능지수(IQ), 인터넷 시대의 감성지수 (EQ), 그리고 디지털 활용 능력 지수(DQ)가 국가 경쟁력을 좌우할 것으로 보입니다. DQ는 4차 산업혁명 사회에 필요한 중요한 역량입니다. AI 시대에는 정보를 비판적으로 분석하고 창의적으로 적용하는 사고력이 더욱 중요해질 것입니다.

다중지능이론은 하워드 가드너가 제안한 지능 개념입니다. 지능지수(IQ)에서 벗어나 다양한 형태의 지능을 말합니다. 이 이론은 학생들의 잠재력과 학습 스타일의 다양성을 존중하며, 교육 현장에서 포괄적인 접근 방식을 통해 효과적인 학습환경을 조성하는 데 기여하고 있습니다.

가드너는 8가지 지능을 제시했습니다. 언어지능, 논리-수학적 지능, 공간 지능, 신체-운동 지능, 음악 지능, 대인 관계 지능, 자기 성찰 지능, 자연 탐구 지능. 이러한 다양한 지능을 바탕으로 교사는 각 학생의 개별적인 학습 스타일에 맞춰 교재와 자료를 제공할 수 있습니다.

예를 들어, 음악 지능이 뛰어난 학생에게는 음악을 활용한 학습자료를 제공함으로써 그들의 흥미와 이해도를 높일 수 있습니다. 또한, 대인 관계 지능이 높은 학생은 그룹 프로젝트를 통해 타인과의 협력을 통해 배울 기회를 가질 수 있습니다. 이런 맞춤형 접근은 학생들의 잠재력을 최대한 발휘할 수 있도록 도와줍니다.

결국, 다중지능이론은 교육의 변화와 발전을 위한 중요한 출발점으로 자리를 잡고 있습니다. 학생 개개인의 지능을 이해하고 존중하는 교육 방식을 통해, 우리는 더 나은 학습 성과와 개인적 성장을 이끌어낼 수 있습니다. 이를 통해 학생들은 자신의 강점을 발견하고, 다양한 분야에서 성공할 수 있는 기반을 마련할 수 있습니다.

다중지능이론은 유형을 고려하는 교육 방법

맞춤형 학습자료 제공: 학생의 지능 유형에 맞는 자료를 통해 개인화된 학습을 촉진합니다.

프로젝트 기반 학습: 학생들이 실제 문제를 해결하는 프로젝트를 통해 자신의 지능을 활용할 수 있습니다.

협력 학습: 그룹 활동을 통해 서로의 강점을 보완하며 협력하는 경험을 제공합니다.

다양한 평가 방법: 전통적인 시험 외에 다양한 평가 방식을 통해 학생의 지능을 공정하게 평가합니다.

체험 중심 학습: 실제 경험을 통해 배우는 기회를 제공하여 지식을 심화합니다.

기술 활용: 디지털 도구와 온라인 자원을 통해 다양한 학습 방식을 지원합니다.

자기 주도 학습: 학생들이 스스로 목표를 세우고 학습 계획을 수립하도록 장려합니다.

다중지능이론을 활용한 교육 방법은 학생들이 자신의 잠재력을 최대한 발휘하도록 돕고, 개별적 특성을 존중하여 교육 효과성을 높이는 데 이바지합니다.

1부 교육과 에듀테크

애덤 스미스는 『국부론』 "한 나라의 진정한 부의 원천은 그 나라 국민들의 창의적 상상력에 있다."라고 했습니다. 이것의 근본 바탕은 창의성입니다. 창의성 계발을 위한 교육을 요구하고 있습니다. 교육이 학생들에게 다양한 경험과 흥미를 유발하는 체험 활동을 제공해야 함을 의미합니다. 그러나 현재의 교육 시스템은 단순한 지식 전달에 그치고 있으며, 정답을 찾는 데 중점을 두고 있습니다. 미래 사회에서는 문제 해결 능력, 창의성, 비판적 사고와 같은 역량이 더욱 중요해질 것입니다.

핀란드 교육 시스템은 학생 중심의 학습을 강조하며, 협력적 문제 해결과 프로젝트 기반 학습을 통해 학생들이 실제 상황에 적용할 수 있는 능력을 키우고 있습니다. 이러한 접근은 학생들이 변화하는 사회에 능동적으로 대처할 수 있는 인재로 성장하도록 돕고 있습니다.

찰스 다윈은 "살아남는 것은 가장 강한 종이나 가장 똑똑한 종들이 아니라, 변화에 가장 잘 적응하는 종들이다."라고 말했습니다. 이는 교육에도 적용될 수 있는 중요한 메시지를 담고 있습니다. 현재의 교육 시스템은 입시 위주로 정답을 강조하는 경향이 강하지만, 미래의 교육은 학생들이 변화에 잘 적응할 수 있도록 학습 능력을 키우는 데 초점을 맞춰야 합니다. 변화를 위한 가장 중요한 요소는 변하려는 마음가짐과 행동입니다. 교육자와 학생이 모두 열린 마음으로 새로운 방법과 방향성을 받아들여야 합니다. 교실에서 기술을 활용한 학습이나 팀 프로젝트를 통해 학생들이 서로 협력하고, 의견을 존중하는 경험을 쌓는 것도 중요합니다.

미래의 교육은, 지식 전달에서 학생들이 변화에 적응하도록 돕는 교육 방향과 방법이어야 합니다. 변화하는 사회에 필요한 인재로 성장하고 적응할 수 있도록 도와주는 것이 중요합니다.

아인슈타인은 교육이란 "학교에서 배운 것을 모두 잊어버린 후에도 남는 그 무엇이다."라고 말했습니다. 교육은 미성숙한 학생을 성장시키는 과정이며, 학생들의 잠재 능력을 끌어내는 것이 진정한 교육입니다. 그러나 현재 학교는 대학 입학을 목적으로 서열을 매기는 상대평가 방식이 진행되고 있습니다. 이제는 교육적 성장과 자기 성장 능력 함양으로 변화되어야 합니다. 교육의 의미와 이념인 홍익인간이 중요한 요소로 남기를 희망합니다.

1부 교육과 에듀테크

2부

에듀테크의 활용

1. 생성형 인공지능
2. 에듀테크 활용 수업
3. 업무 활용하는 에듀테크

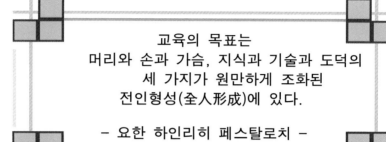

교육의 목표는
머리와 손과 가슴, 지식과 기술과 도덕의
세 가지가 원만하게 조화된
전인형성(全人形成)에 있다.

- 요한 하인리히 페스탈로치 -

2부. 에듀테크의 활용

최근 무엇이든 해결해 주는 척척박사가 등장했습니다. 그가 바로 생성형 인공지능(AI)입니다.

생성형 AI는 학교 교육에 커다란 변혁을 일으킬 만한 놀라운 능력을 갖추고 있습니다. 글쓰기, 그림그리기, 작곡하기, 코딩, 번역, 논문 요약, 도표 해석 등 다양한 기능을 통해 문제를 해결해 줍니다. 인간 고유의 창작 분야에서도 뛰어난 성능을 보입니다. 만능 척척박사인 다양한 생성형 인공지능(AI)이 내 옆에서 질문을 기다리고 있습니다.

디지털 기기나 다양한 프로그램은 교육의 도구일 뿐입니다. 교사는 이러한 에듀테크를 잘 다루고 활용할 수 있는 능력을 길러야 합니다. 교육의 질을 높이는 미래 교육에 대비해야 합니다. 인공지능 활용은 맞춤형 학습 경험을 통해 학생의 학습 수준을 향상하려는 목적이 있습니다. 학습 스타일에 맞게 수준별 지원을 하며, 피드백과 평가까지 제공할 수 있습니다.

학교에서 에듀테크를 활용하는 이유는 교수·학습의 개선입니다. 생성형 인공지능(AI) 활용과 에듀테크, 디지털 교과서에 대한 논쟁은 뜨겁습니다. 생성형 인공지능에 대한 교사들의 생각은 제각각입니다. 생성형 인공지능 사용을 금지하자는 의견과 수업에 도입해야 한다는 의견이 공존합니다. 특히 13세 미만 학생들의 사용이 금지되어 있어 초·중학교 수업에서 생성형 AI를 활용하는 것에 대한 우려가 큽니다. 사람도 불완전한데 AI도 불완전합니다. 완성된 제품은 아닙니다. 인간도 거짓말도 하고 가짜뉴스도 알립니다. AI는 리콜, 반품이 없습니다. 그냥 자료를 제공해 줄 뿐입니다. 생성형 인공지능을 통해 질문하고 문제를 해결하며 아이디어를 얻을 수 있습니다. 질문에 대한 상세한 설명을 제공해주므로 수업 보조 역할을 기대할 수 있습니다.

교사는 생성형 인공지능을 통해 깊이 있는 이해를 해야 하며, 학교 업무와 수업에 사용하여 효율성을 극대화할 방법을 찾아야 할 때입니다. 생성형 인공지능을 수업에 활용하는 이유는 교육의 효율성을 높이고자 하는 것입니다.

생성형 인공지능(AI) 등장

　요즘 ChatGPT가 다가왔지만 "나하고 무슨 상관이란 말인가?" 하며 대수롭지 않게 여기는 사람이 있습니다. 이는 당연하다고 생각되는 부분입니다. 질문을 입력하면 적절한 대답을 해주는데 활용법을 모르기 때문입니다. ChatGPT는 생성형 인공지능의 하나입니다. ChatGPT를 활용하여 학생들이 창작 시를 작성하는 수업도 가능하며, 이를 통해 학생들은 기술 활용 능력을 키우고 창의적 표현의 폭을 넓힐 수 있습니다. 앞으로 ChatGPT 유형의 인공지능 프로그램은 빠르게 성장할 것입니다.

　마이크로소프트(MS) 창업자인 빌 게이츠는 "ChatGPT와 같은 생성 인공지능은 우리의 세상을 바꿀 것이다."라고 말하며, 이를 "인터넷만큼 중대한 발명"으로 평가했습니다.

　ChatGPT가 가져오는 사회의 변화에 대해서도 알아보고, 미래를 위해 ChatGPT의 사용 방법과 다양한 교육 분야 활용 방법 및 사례를 살펴보겠습니다. 과거와 현재, 미래에 제공되는 정보 내용에 따라 나의 지식, 가치관, 삶의 태도와

방향이 달라질 수 있습니다. 그러나 ChatGPT의 등장을 두고 비판하는 목소리도 존재합니다.[5]

미국 보스턴대학교의 하그리브스 교수는 "오늘날 교사에게 요구되는 핵심 역량은 지금까지 배우지 않았던 방식으로 가르치는 방법을 배우는 것"이라고 강조했습니다. 생성형 인공지능은 정보의 홍수 속에서 필요한 정보를 쉽게 찾아주는 효율적인 도구이자, 미디어 리터러시를 함양시키는 게 중요한 역할을 할 것입니다. 인공지능의 발달은 사람처럼 또는 더 뛰어난 역량도 가능해질 수도 있습니다.

현재 일부 국가나 지역에서는 ChatGPT 사용을 금지하고 있지만, 생활에서 핸드폰의 유용함이나 컴퓨터에서 구글 검색을 막을 수 없는 것처럼, 수업이나 교실에서 ChatGPT의 활용을 막는 것은 어려울 것입니다. 과거로 돌아갈 수는 없으므로, 이제는 수업이나 생활에서 어떻게 유용하게 활용할 것인지에 대해 더욱 고민해야 할 시점입니다. 유능하지만, 법적인 부작용과 역기능 생각하고 사용을 올바르게 해야 합니다.

---

5) ChatGPT 활용을 막을 것인가에 대한 설문에서는 ❶ 일단은 학생들의 ChatGPT활용을 막아야 합니다.(16%), ❷ ChatGPT를 받아들이고 새로운 교육법을 연구해야 합니다.(84%)와 같았다.(2023.3. 참여자 1100명)

미래 교육에 ChatGPT 유형의 인공지능 프로그램을 활용하는 방안은 다음과 같다.

첫째, 대화형 챗봇으로 활용하여 학습자의 질문에 대답하고 학습 내용을 보충하는 역할을 수행할 수 있습니다.

둘째, 학습자들 간의 토론을 지원하기 위해 챗봇을 활용하여 대화를 진행하도록 합니다.

셋째, 학습자들이 작성한 글을 챗봇에 전달하여 문법, 맞춤법 등의 피드백을 받도록 합니다.

넷째, 자동 생성된 문장을 토대로 학습자들이 논리적 사고와 작문 능력을 향상하는 활동을 수행합니다.

다섯째, 챗봇이 학습자의 대화를 분석하고, 개별적인 학습 계획을 제안하는 기능을 추가합니다.

NSP통신 2023.3.21. 문형남 숙명여대 경영전문대학원 교수, 한국AI교육협회 회장 생성형 인공지능을 어떻게 활용할 것인가?

생성형 인공지능 시대에 나는 무엇을 할까?

시대별 정보 대상의 변화	정보가 필요한 나
과거	경험 많은 사람 질문 대화
⬇	책 사전
현재	백과사전 전자사전 인터넷 검색 AI 챗봇(ChatBot) ChatGPT, wrtn…. 하이퍼글로버 X 제미나이
⬇	
미래	AI 만능 척척박사 ?

생성형 인공지능(AI)과 교사

생성형 인공지능(AI)의 등장으로 학교도 변화가 찾아왔습니다. 교육에서 ChatGPT의 역할이 어느 정도일지 궁금하며, 교사의 역할이 AI로 대체될 수는 없다고 생각합니다. 앞으로 AI ChatGPT를 포함한 다양한 프로그램을 적극적으로 활용할 수 있도록 행정적 및 재정적인 지원을 기대합니다. 이를 통해 학교 업무와 학생 교육에 활용하여, 학생 교육에 성실하게 임할 수 있기를 바랍니다.

생성형 인공지능(AI)은 질문에 답변을 생성할 수 있는 컴퓨터 프로그램으로, 도구입니다. AI를 교육에 활용하는 것은 큰 도움이 될 수 있습니다. 필요한 지식을 배우고 궁금한 것을 찾아 학습하는 것은 매우 중요합니다. 인공지능은 궁금한 것을 해결해 줄 수 있는 보조교사 역할을 할 수 있습니다. 최첨단 에듀테크를 활용하는 하이테크(High-tech)와 하이터치(High-touch)가 조화를 이루어야 합니다.

생성형 인공지능(AI)을 학교에 어떻게 활용할 것인가?
교사의 중요한 역할은 무엇일까?

교육 분야에서 ChatGPT가 도움이 될 것이라고 확신합니다. ChatGPT는 보조교사로서 가상 도우미 역할을 할 수 있습니다. 교육 분야에서 유용한 도구로 활용될 것이며, 교사를 대체하는 것이 아니라 보조하는 역할을 할 것입니다. 학교 업무에서 AI 활용은 도움이 될 수 있지만, 부작용에 대한 우려도 존재합니다. AI의 응답에 오류가 있을 수 있으므로, 그 답변이 항상 정답이 아닐 수 있습니다.

교사의 역할에 ChatGPT가 도움이 될 것이라고 확신하며, 정부는 교사가 ChatGPT를 적절히 활용할 수 있도록 지원해야 합니다. 앞으로 학교 업무와 학생 교육에 활용하여, 학생 교육에 성실하게 임할 수 있기를 바랍니다.

미국 시인 메리 올리버(Mary Oliver)는 "인간이 가진 최고의 능력은 사랑하는 힘과 질문하는 능력이다"라고 표현했습니다. 인공지능 시대에는 질문하는 능력과 질문하는 교육이 더욱 중요해질 것입니다. 아무리 도구가 좋아도 질문하고 활용하는 능력이 없다면 소용이 없습니다. 생성형 AI 활용의 이점도 많을 것입니다. 생성형 AI 기술이 발달하면서 교육의 질을 높이는 도구가 될 것으로 기대합니다.

완벽한 인공지능은 없으므로, 교사와 학생 모두에게 도움이 되는 교육 도구로 활용될 것으로 기대됩니다. 생성형 AI

는 앞으로 우리 삶에 얼마나 많은 영향을 미칠지에 대한 고민과 걱정도 많습니다. 이제는 생성형 인공지능과 에듀테크를 활용하면서 문제점을 즉시 해결하는 법 규정이 필요합니다.

최근 학교에서 생성형 인공지능(AI)을 활용한 수업 사례를 살펴보면 다음과 같습니다.

1, 수업의 보조교사로 활용하는 방법

2, 토론 수업에 활용하는 방법

3, 글쓰기와 피드백을 받는 방법

4, 코딩 수업의 활용

5, 그림에 대한 아이디어 얻는 방법

6, 학교 생활기록부의 문구 예시 활용

7, 학교 행정업무의 활용

8, 기타 사례입니다.

ChatGPT

ChatGPT

 개발회사-Open AI, 회장-샘 알트먼
오픈AI(Open AI)는 미국의 인공지능 연구소
현재 ChatGPT의 무료 버전은 3.5이며, 유료
버전은 4.0입니다. 앞으로 더욱 발전할 것입
니다.

ChatGPT는 생성형 인공지능(AI) 프로그램입니다. 궁금한 점이 있으면 물어보고 답변을 받을 수 있습니다. 궁금한 모든 사항을 질문하면 문장으로 제공해줍니다. 질문과 대화 방법이 채팅 형식이어서 'Chat'이라고 불립니다. 대화의 'Chat'과 생성형 인공지능 'GPT'라는 단어를 합성한 이름이 ChatGPT입니다.

GPT는 "Generative Pre-trained Transformer"의 줄임말로, 미리 학습된 내용을 바탕으로 인간과 유사한 자연어 생성을 수행하는 기술을 의미합니다. 궁금한 내용을 키보드로 입력하면 대답을 해줍니다. ChatGPT는 정보 검색, 요약, 작문, 코딩 등 다양한 영역에 활용할 수 있습니다. 2022년 하반기에 ChatGPT가 등장했습니다. 이 프로그램은 OpenAI가 개발한 프로토타입 대화형 인공지능 챗봇입니다.6)

---

6) 위키백과 https://ko.wikipedia.org/wiki/ChatGPT

ChatGPT는 컴퓨터 대화형 인공지능 프로그램으로, 컴퓨터와 모바일에서 모두 사용 가능합니다. 사용자가 질문을 하면 사전 학습한 내용을 바탕으로 단어를 해석하여 답변을 생성하는 생성형 인공지능입니다. 프롬프트에 텍스트로 질문하면 이해하고 대답해 주는 대화형 인공지능 서비스입니다.

ChatGPT가 교육의 미래에 미치는 영향은 무엇일까?
ChatGPT는 어떻게 활용될 것인가?

미래에 인공지능(AI)과 ChatGPT의 활용은 큰 가치가 되어가고 있습니다. 최근 몇 년 동안 업데이트 속도가 빠르므로 따라가기 벅차기도 합니다. 교육에 인공지능과 ChatGPT의 활용은 선택이 아니라 필수입니다. ChatGPT는 검색을 대신하는 훌륭한 도구로, 이를 제대로 활용하면 다양한 콘텐츠를 간편하게 생성할 수 있습니다. 명령어에 따라 질문에 답변해 주고 글을 작성해 줍니다.

ChatGPT가 현재 기술의 초보적인 단계임을 고려할 때, 앞으로 교육에서 활용할 수 있는 잠재력은 무궁무진합니다. 훌륭한 교사는 이러한 기회를 놓치지 않을 것입니다.

2부 에듀테크의 활용

ChatGPT 역할과 기능

ChatGPT는 자세한 내용을 화면에 제시해 줍니다. 특히 영어로 질문하면 더욱 빠르게 반응합니다. 어떤 주제를 주고 "요약해 줘?"라고 하면, 그 주제를 간단하게 줄여 줍니다. 질문을 하면 종합적인 자료를 정리하여 잘 답변해 줍니다.

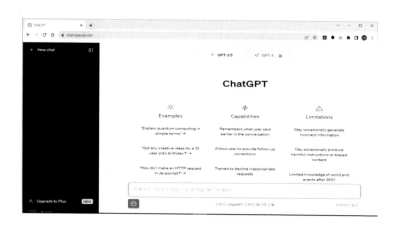

프롬프트라고 하며 ChatGPT에게 명령이나 지시를 내리는 곳입니다. 질문을 입력하는 곳입니다.

ChatGPT가 대답한 ChatGPT 역할에 대한 요약입니다.

> ChatGPT 역할에 대하여 다음과 같이 요약합니다.
>
> 가상 비서, 고객 지원, 교육 도구, 창의적 글쓰기, 언어 번역, 프로그래밍 지원, 콘텐츠 생성, 치료 및 정신 건강 지원,
> 개인 생산성, 대화형 게임, 언어 학습, 연구 지원 등 다양한 분야에 활용 가능성이 크다. 따라서 질문을 적절하게 사용하면 정보 검색에 노력하지 않을 수 있으며 시간을 줄일 수 있는 게 장점입니다.[7]

산업, 교육, 오락 등에서 인공지능의 활용도는 더욱 증가할 것입니다. 앞으로는 ChatGPT와 같은 인공지능이 더욱 성장할 것으로 예상됩니다. 실시간으로 질문에 답변해 주기 때문에 누구에게나 도움이 될 것입니다.

인공지능은 연설문 작성, 글 요약, 시 쓰기, 글쓰기, 강의 요약, 그림그리기, 뿐만 아니라 코딩, 번역, 논문 요약 등 다양한 작업을 수행할 수 있습니다. 일상에서 아이디어를 얻는 데 활용하는 비서입니다.

---

7) ChatGPT 역할은? 기능은? 검색 결과
   https://chat.openai.com/

ChatGPT 무료 / 유료 활용

ChatGPT는 생성형 인공지능입니다. 개인, 학교에서 구매할
수 있습니다

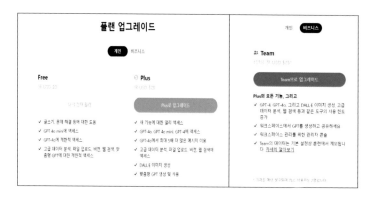

유료 서비스에서는 이미지로 질문하고 답변받을 수 있으
며, 음성으로도 소통할 수 있습니다.

영어에 최적화되었으며 한국어 정확도가 높아지고, 실시간
웹 검색이 가능합니다. 또한 개인 비서를 만드는 것도 가능
합니다.

ChatGPT 시작하기

ChatGPT는 PC에 설치해서 사용하는 게 아니라, 인터넷 사이트에 간편하게 접속할 수 있습니다. Chrome 브라우저에 접속합니다.

첫째, https://openai.com/ 사이트에 접속합니다.

둘째, 로그인 또는 회원 가입하기를 클릭합니다.

1) 로그인 클릭합니다.

본인 구글 계정을 선택하면 간편하게 가입할 수 있고, 가입만 하면 바로 사용할 수 있습니다. 계정 이메일과 비밀번호를 입력합니다.

ChatGPT 질문하기

https://openai.com/ 사이트에 접속한 첫 화면입니다.

1). ChatGPT 화면 구성입니다.

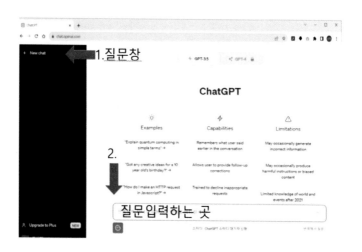

질문 창
 - 새로운 주제의 질문이 필요할 경우 클릭합니다.
   질문 입력하는 곳
 - 새로운 질문을 직접 입력하는 곳입니다.

[질문 입력하는 곳]은 새로운 질문 입력하는 곳입니다. 이곳에 질문의 내용을 한글이나 영어로 입력합니다.

[질문 입력하는 곳] 궁금하거나 질문사항을 직접 입력하는 공간입니다. 화면 아래의 질문 입력하는 곳에 질문을 입력 후 [엔터키]나, 오른쪽 끝 아이콘 ▶ [보내기 버튼]을 클릭하면 답변이 생성됩니다.

2). 다음과 같은 질문을 입력합니다.

입력 내용은 "ChatGPT가 할 수 있는 역할은?"

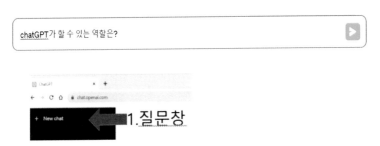

이 부분은 새로운 질문을 하면 클릭하면 자동으로 생성되는 곳입니다. 질문하면 질문한 내용이 나타납니다.

2부 에듀테크의 활용

ChatGPT의 역할과 기능은?

| 신진 | What does ChatGPT do? |

ChatGPT 답변

ChatGPT는 GPT-3.5 아키텍처를 기반으로 OpenAI 에서 개발한 언어 모델입니다. 주요 기능은 수신한 입력을 기반으로 인간과 유사한 텍스트를 이해하고 생성하는 것입니다. 언어 모델로서 ChatGPT는 다음과 같은 다양한 작업을 수행할 수 있습니다.[8]

ChatGPT가 제시한 12가지 답변입니다. 이에 관한 내용을 주제만 나열한 핵심 사항입니다.

"질문에 답하기, 텍스트 생성, 대화형 상호작용, 언어 번역, 언어 이해, 코드 작성, 코드 작성, 창의적인 글쓰기, 요약, 텍스트 편집 및 수정, 교육 지원, 가상 지원 및 다재다능함과 자연어 처리 기능은 고객 지원 및 콘텐츠 생성에서 교육 목적에 이르기까지 광범위한 애플리케이션을 위한 강력한 도구입니다"라고 제시했다.

---

8) https://chat.openai.com/

ChatGPT에 질문합니다.

ChatGPT는 학교에서 어떤 분야에서 사용될 수 있나요?

ChatGPT 답변

ChatGPT는 교육 환경의 다양한 영역에서 유용한 도구가 될 수 있습니다. 자연어 처리 기능과 사람과 같은 응답을 생성하는 기능은 다음과 같은 목적에 유용합니다.

개인화된 학습: ChatGPT는 가상 튜터 역할을 할 수 있으며, 학생들이 어려운 개념을 이해하도록 개인화된 지원을 제공하거나 개인의 필요와 학습 속도에 따라 추가 설명을 제공할 수 있습니다.

숙제 및 과제 도움말: 학생들은 숙제나 과제에 대해 질문이 있을 때 ChatGPT에서 도움을 요청할 수 있습니다. 설명을 제공하거나 자원을 제안하거나 이해를 돕기 위한 예를 제공할 수 있습니다.

프로젝트 지원: ChatGPT는 연구 프로젝트, 학기 말 논문 및 프레젠테이션에 대한 지침과 제안을 제공하여 학생들이 프로젝트에 대한 아이디어와 접근 방식을 다듬도록 돕습니다.

언어 학습: ChatGPT는 학생들을 대화에 참여시켜 안전하고 판단하지 않는 환경에서 언어 기술을 연습할 수 있습니다. 또한 더 나은 언어 이해를 위해 번역 및 설명을 제공할 수 있습니다.

프로그래밍 지원: 코딩을 배우는 학생은 ChatGPT를 프로그래밍 친구로 사용하여 제안을 받거나 코드를 디버그하

2부 에듀테크의 활용

거나 새로운 코딩 개념을 배울 수 있습니다.

진로 상담: ChatGPT는 진로, 직업 전망, 다양한 직업에 필요한 기술에 대한 안내를 제공할 수 있습니다. 학생들이 자신의 관심과 강점에 따라 다양한 진로 선택을 탐색하는 데 도움이 될 수 있습니다.

창의적 글쓰기:
학생들은 ChatGPT를 글쓰기 도우미로 사용하여 아이디어를 생성하고 스토리라인을 제안하거나 창의적인 글쓰기에 대한 피드백을 제공할 수 있습니다.

수정 및 시험 준비: ChatGPT는 질문에 답하고, 설명을 제공하고, 연습 문제를 제공함으로써 학생들이 시험을 수정하고 준비하도록 도울 수 있습니다.

특수교육 지원: ChatGPT는 개별화된 지원을 제공하고 특정 요구 사항에 맞게 콘텐츠를 조정하여 특수 요구 사항이나 학습 장애가 있는 학생을 지원할 수 있습니다.
교사를 위한 교육 지원: 교사는 ChatGPT를 사용하여 리소스를 찾고 수업 계획을 생성하거나 교실 활동 및 프로젝트에 대한 아이디어를 얻을 수 있습니다.

ChatGPT가 귀중한 리소스가 될 수 있지만, 인간의 상호작용이나 비판적 사고를 대체해서는 안 된다는 점에 유의하는 것이 중요합니다.

전통적인 교육 방법을 보완하고 학생들의 학습 경험을 향상하는 도구로 가장 잘 사용됩니다.
또한 교사와 교육자는 학생의 데이터와 온라인 웰빙을 보호하기 위해 ChatGPT 사용이 개인 정보 보호 및 안전 지침에 부합하는지 확인해야 합니다.

수업 시간에 문제가 있는 학생들을 어떻게 지도해야 합니까?

수업 시간에 문제가 있는 학생을 지도하는 것은 교육자의 필수 기술입니다. 여기에는 그들의 문제를 이해하고, 지원을 제공하고, 긍정적인 학습 환경을 조성하는 것이 포함됩니다. 다음은 수업 중 문제가 있는 학생을 안내하는 몇 가지 효과적인 전략입니다.

1. **친근하고 공감하기:** 교실에서 따뜻하고 지원적인 분위기를 조성하십시오. 학생들의 복지에 대해 진정한 관심을 보여주고 도움이 필요할 때 편안하게 찾을 수 있도록 친근하게 다가가십시오.

2. **고군분투하는 학생 관찰 및 식별:** 어려움에 직면한 학생을 식별하기 위해 학생의 행동과 성과를 주시하십시오. 투쟁의 일부 징후에는 참여 부족, 성적 하락 또는 행동 변화가 포함될 수 있습니다.

3. **열린 의사소통 장려:** 열린 의사소통 채널을 구축하여 학생들이 개인적으로 또는 수업 토론 중에 우려 사항이나 질문을 교사와 공유할 수 있도록 합니다. 도움을 요청해도 괜찮다는 것을 알려주십시오.

4. **일대일 지원 제공:** 학생이 어려움을 겪고 있는 것을 발견하면 개별적으로 대화를 제안하십시오. 이것은 근무 시간이나 수업 후에 할 수 있습니다. 그들의 고민을 주의 깊게 듣고 문제의 근원을 이해하려고 노력하십시오.

5. **복잡한 주제 분석하기:** 특정 주제가 여러 학생에게 어렵다는 것을 알게 되면 더 간단한 개념으로 나누거나 추가 예를 제공하여 이해를 높이십시오.

6. **교육 차별화:** 학생들이 서로 다른 학습 스타일과 능력을 가지고 있음을 인식합니다. 필요에 따라 추가 지원이나 과제를 제공하여 다양한 요구 사항을 충족하도록 교수법을 조정하십시오.

7. **시각 자료 및 실제 예 사용:** 시각 자료, 다이어그램 및 실생활 예를 활용하여 학생들이 추상적인 개념에 더 쉽게 접근하고 공감할 수 있도록 합니다.

8. **동료 협력 장려:** 학생들이 수업 활동이나 그룹 프로젝트 중에 함께 작업하고 서로 돕도록 격려하십시오. 때때로 학생들은 동료들로부터 배우는 것이 더 쉽다고 생각할 수 있습니다.

9. **달성 가능한 목표 설정:** 학생들이 현실적이고 달성 가능한 학업 목표를 설정하도록 돕습니다. 그들의 자신감을 높이기 위해 아무리 작은 것이라도 그들의 발전과 성공을 축하하십시오.

10. **수업 외 리소스 및 지원 제공:** 교실 밖에서 학습을 보완할 수 있는 교과서, 온라인 자습서 또는 교육 웹사이트와 같은 추가 리소스로 학생들을 안내합니다.

2부 에듀테크의 활용

ChatGPT와 같은 AI 도구는 교육 분야에서 수업 방법, 학습자료 제작, 그리고 평가 방법에 대한 아이디어를 제공하는 데 유용할 수 있습니다. 다양한 아이디어를 얻는 데 도움을 주며, 창의적인 작업을 촉진할 수 있습니다.

콘텐츠 창작에도 많은 영향을 미칠 수 있습니다. 출처와 저작권 문제에 관해서는, ChatGPT는 훈련 데이터에 기반하여 답변을 생성합니다. 이 과정에서 특정 출처를 명시하지 않으며, 생성된 콘텐츠는 원본 데이터의 재가공이라기보다는 새로운 텍스트로 간주합니다. 따라서 AI가 제공하는 정보는 참고용으로 활용할 수 있지만, 신뢰성을 확인하기 위해 추가적인 자료나 출처를 검색하는 것이 좋습니다.

향후 AI가 생성하는 콘텐츠에는 출처가 명시될 가능성이 있지만, 현재로서는 AI가 제공하는 정보에 직접적인 출처를 제공하지 않습니다. 이 점을 유념하시고 활용하시기 바랍니다.

ChatGPT에게 질문하기

1. 5W 1H 형식으로 구체적인 질문을 합니다.

'누가, 어떻게, 무엇을, 왜, 언제, 어디서'로 시작하는 질문은 유익한 답변으로 이어집니다. 질문이 명확하고 구체적이어야 하며, 모호한 질문은 혼란을 초래하거나 모호한 답변을 초래할 수 있습니다.

예를 들어, "나는 중학교 기술과목을 가르치는 교사다. 기술 발명 단원의 발명기법 10가지를 프로젝트 수업하려고 한다. 1차시 수업지도안을 시간별로 내용, 설명, 사례 등으로 표로 작성해줘."라고 입력한 결과입니다.

2부 에듀테크의 활용

2. 한 번에 하나의 주제를 질문합니다.

새 창 열기에서 하나의 대화창에 하나의 주제를 꼬리를 물 듯이 질문합니다.

4. 프로토타입이란 무엇입니까?

- **정답: D) 아이디어를 테스트하는 데 사용된 초기 모델**

설명: 프로토타입은 기능성과 디자인을 테스트하고 평가하는 데 사용되는 발명품의 예비 모델입니다. 프로토타이핑을 통해 발명가는 자신의 아이디어를 실질적인 형태로 탐구하고, 잠재적인 문제를 식별하고, 생산을 시작하기 전에 디자인을 다듬을 수 있습니다. 이는 개념을 검증하고 개선을 위한 피드백을 수집하는 데 도움이 되므로 발명 프로세스의 필수 단계입니다.

5. SCAMPER 기법에서 "C"는 무엇을 의미하며 어떻게 적용되나요?

- **정답: A) 결합; 두 가지 아이디어를 결합하여 새로운 것을 창조**

설명: SCAMPER 기법에서 "C"는 "Combine"을 의미하며 두 개 이상의 아이디어, 제품 또는 개념을 병합하여 혁신적인 것을 만들어냅니다. 이 접근 방식은 발명가가 기존 아이디어를 강화하거나 변형하기 위해 다양한 요소가 어떻게 함께 작동할 수 있는지 생각하도록 장려합니다. 아이디어를 결합하

GPT-4o.의 Free 플랜 한도에 도달했습니다.
채팅에 첨부 파일이 있으므로 계속하려면 GPT-4o이(가) 필요합니다. 내일 AM 12:17 후에 한도가 초기화됩니다.

새 채팅 Plus 이용하기

메시지 ChatGPT

다음은 "발명 기술"에 관한 5개의 객관식 질문에 대한 정답입니다.

질문	정답
1. 발명가들이 새로운 아이디어를 창출하기 위해 사용하는 일반적인 방법은 무엇입니까?	**B) 마인드 매핑**
2. 새로운 발명품을 만들기 위해 물체의 일부를 변경하는 기술은 무엇입니까?	**다) 적응**
3. 브레인스토밍 중에 아이디어를 비판하지 않는 것이 왜 중요한가요?	**B) 두려움 없이 많은 아이디어를 낼 수 있도록 도와줍니다**
4. 프로토타입이란 무엇입니까?	**D) 아이디어를 테스트하는 데 사용되는 초기 모델**
5. SCAMPER 기법에서 "C"는 무엇을 의미하며 어떻게 적용되나요?	**A) 결합; 두 가지 아이디어를 병합하여 새로운 것을 창조**

이러한 답변은 아이디어 생성을 위한 마인드 매핑, 창의적인 프로세스로서의 적응, 개방형 브레인스토밍의 중요성, 프로토타입의 역할, 혁신에 SCAMPER 기술을 사용하는 등 발명 기술과 관련된 핵심 개념을 강조합니다.

메시지 ChatGPT

3. Chat GPT에게 "그림을 그려줘" 질문

ChatGPT-4o 모델에서는 입력하는 글씨를 토대로 이미지를 적절하게 생성해준다.

ChatGPT ∨

질문 내용 ∨

교실에서 한대의 노트북을 가지고 검색 하고 있는남여 학생, 즐겁게 컴퓨터를 보고 웃는 모습, 발표하는 모습, 집중하는 모습을 미래지향적인 환상적인 교실 배경으로, 그림을 그려줘.

4. PDF 파일을 질문 창에 넣고 "요약해줘"

업로드한 문서의 내용 요약도 해준다.

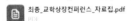

최종_교학상장컨퍼런스_자료집.pdf
PDF

🔗 자료집의 내용에서 교사가 수업 시간 실천해야 할 핵심 내용을 알려줘

1. **효과적인 교실 관리:**
   - 교실을 효과적으로 관리하기 위한 전략에 중점을 둡니다. 여기에는 모든 학생들이 소속감을 느낄 수 있는 협력적이고 참여적인 환경을 조성하는 것이 포함됩니다. 포용적이고 참여적인 교실 운영을 강조하는 권혁선(권혁선)의 "모두 함께하는 생생학급 운영사례"("Lively Classroom Management for Everything")가 그 예입니다.

2. **학생 지도 및 상담:**

2부 에듀테크의 활용

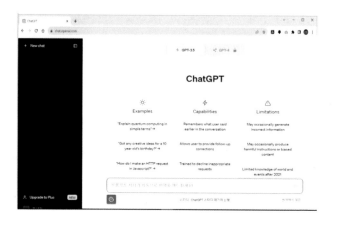

Chat GPT에 효과적인 질문하는 전략 TIP

1. 말하듯이 질문한다.

2. 구체적으로 질문한다.

3. 상황을 설정해서 질문한다.

4. 꼬리에 꼬리를 묻는 질문을 한다.

5. 깊이 있는 질문을 한다.

6. 원하는 답변이 나올 때까지 반복하는 질문 한다.

7. 영어로 질문하면 정확성을 얻을 수 있다.

8. 답변의 정확도에는 오류가 존재한다.

ChatGPT 한계

ChatGPT의 한계는 존재합니다. 제공되는 정보의 정확성에 문제가 있으며, 거짓 정보나 잘못된 정보를 그럴싸하게 답변해 주기도 합니다. 앞으로는 영상 인식, 이미지 생성, 음성 인식 등 다양한 분야에서 가능한 만능 챗봇으로 업그레이드될 것으로 보입니다.

ChatGPT 활용 시 주의사항은 다음과 같습니다.

첫째, ChatGPT는 거짓 정보를 제공할 수 있습니다.

ChatGPT가 답변하는 내용 중에는 정확한 정보가 아닐 수도 있으며, 그럴듯한 거짓 정보를 제공할 수 있습니다. 진실성 부분에서 의존해서는 안 되며, 제공된 정보가 거짓이거나 잘못된 것일 수 있습니다. 현재 정확도는 100%가 아니며, 질문 중 부정확하거나 잘못된 정보가 제공될 수 있습니다.

ChatGPT의 단점 중 하나는 '할루시네이션(hallucination)'입니다. '할루시네이션'은 환각, 환영, 환시를 뜻하는 영어 단어로, 인공지능이 실제로 존재하지 않는 것을 마치 있었던 일인 것처럼, 즉 틀린 답을 사실인 양 그럴듯하게 답할 때 사용됩니다.

2부 에듀테크의 활용

둘째, ChatGPT는 대화하듯 질문합니다.

인간이 만든 데이터를 학습하므로, 인간이 대답하는 것처럼 대답합니다. 따라서 대화가 활발한 직업군에서 사용하기에 유용합니다. 학생과 소통하듯 질문하면 답변을 얻을 수 있으며, 생성형 인공지능 ChatGPT의 기능은 다양합니다. 실시간으로 원하는 정보를 질문하면 대답해 주며, 친구와 마주 보고 대화하는 경우와 비슷합니다. 대충 말해도 알아듣는 수준이므로, 무엇인가 모르는 사항을 질문하면 즉시 대답해 줍니다. 질문이 구체적일수록 대답하는 능력도 우수합니다.

미켈란젤로가 남긴 명언 중 "조각은 쉽다. 그저 표면을 깎아 내려가다 멈추면 되는 것이다."와 "조각 작품은 내가 작업을 하기 전에 이미 그 대리석 안에 만들어져 있다. 나는 다만 그 주변의 돌을 제거할 뿐이다."라는 말이 있습니다. ChatGPT의 기능은 다양합니다. 질문하면 다 제시합니다. 활용을 어떻게 하느냐는 사용자에게 달려 있습니다. 원하는 답변을 얻기 위해 반복적으로 질문하면 됩니다.

ChatGPT와 교사

인공지능(AI) 시대는 새로운 기회를 제공합니다.

ChatGPT와 같은 생성형 인공지능은 정보 검색, 업무 처리, 글쓰기 학습, 일상 대화 및 상담 아이디어를 얻는 데 유용하게 활용될 수 있습니다. 이러한 변화 속에서 교사의 역할과 교육 방식은 크게 변화하고 있습니다. 우리는 AI로 인해 일자리를 잃거나 뇌가 퇴화할 것이라는 우려 대신, AI가 교육과 학습에 긍정적인 영향을 미칠 수 있다는 점에 주목해야 합니다.

인공지능 시대의 교사는 학생이 스스로 문제를 창의적으로 해결하고 경험하는 것을 지원해야 합니다. 교육은 티칭에서 코칭으로 전환되어야 하며, 학생의 잠재력을 파악하고 그 능력을 극대화할 수 있도록 도와야 합니다. 교사는 AI를 활용하는 데 필요한 검색 능력과 질문 능력을 갖추어야 하며, '질문하는 능력'이 핵심이 됩니다.

미래의 일자리는 AI와 협력하는 방식으로 변화할 것으로 예상됩니다. 미래는 창의적 사고, 문제 해결 능력, 협업 능

2부 에듀테크의 활용

력이 중요한 인재의 자질로 주목받을 것입니다. 따라서 새로운 교육 기술과 디지털 도구를 적극적으로 활용하여 학생들의 학습 동기를 유발하고 맞춤형 교육을 제공하는 것이 중요합니다.

인공지능 시대의 교육은 학습환경, 방법, 내용, 교육과정이 완전히 달라져야 하며, 교사의 전문성 향상을 위해 평생학습이 필요합니다. 다양한 경험과 자신의 성찰을 통해, 경험이 인생의 스승이 됩니다. 인공지능과 함께하는 미래 교육은 더 나은 세상을 만드는 데 이바지할 것입니다. 교사는 학생들의 성장과 발전을 위해 지속적인 노력을 해야 하며, 학생들에게 긍정적인 영향을 미치도록 최선을 다해야 합니다. 이러한 변화에 적응하기 위해서는 평생학습이 필수이며, 교사의 역할은 더욱 중요해질 것입니다.

교사는 퍼실리테이터(Facilitator), 멘토(Mentor), 코치(Coach), 동기 부여자로서의 소임을 수행해야 하며, 학생들에게 행복한 삶의 가치를 전하는 전도사가 되어야 합니다.

생성형 인공지능(AI)

『서울교육 특별기획(255호)』호에 게시된「인공지능의 발달과 교육의 변화 유상미 (한성대학교, 교수)」의 내용 일부입니다. [9]

　생성형 AI 도구들은 수업에서 좀 더 창의성이 있어야 하는 수업의 경우, 생성형 AI 도구들을 활용하여 수업을 설계할 수 있다. 생성형 AI 도구들은 교사가 학생들에게 새로운 학습 경험을 제공하고 교육의 질을 향상하는 데 기여하고 있다.

생성형 AI 활용 수업의 이점
① 학생들의 창의성 증진
② 학습 효과 향상
③ 학생들의 자기 주도적 학습 능력 향상

　인공지능 도구를 활용하여 자신만의 독창적인 아이디어를 구현하고, 이를 통해 창의성을 증진할 수 있다. 학습한 내용을 더욱 깊이 있게 이해하고, 이를 바탕으로 새로운 문제를 해결할 수 있다. 학생 스스로 학습 계획을 세우고, 이를 실천함으로써 자기 주도적 학습 능력을 향상시킬 수 있다.

---

9) 서울교육 특별기획2024 여름호(255호) 인공지능의 발달과 교육의 변화 유상미 (한성대학교 교수) https://webzine-serii.re.kr/

인공지능 도구를 활용한 학습 지원에서 몇 가지 주의해야
할 부작용도 있다.

생성형 AI 활용 수업의 부작용
① 학생들의 의존성 증가
② 기술적 장애
③ 윤리적 문제

학생들이 인공지능 도구에 지나치게 의존하게 되면, 스스
로 문제를 해결하는 능력이 저하될 수 있다.

소프트웨어 오류나 하드웨어 문제 등 기술적 장애가 수업
진행을 방해할 수 있으며, 모든 교사와 학생이 적절한 기술
지원을 받지 못할 수도 있다. 기술에 쉽게 접근할 수 있는
환경과 그렇지 못한 환경 간의 격차가 교육의 질에서도 차
이를 만들어 낼 수 있다.

인공지능 도구를 활용할 때는 항상 윤리적 문제를 고려해
야 한다. 예를 들어, 인공지능이 생성한 콘텐츠가 인종차별
이나 성차별 등의 문제를 일으킬 수 있으며, 개인정보 보호
와 데이터 보안 문제, 생성된 콘텐츠의 저작권 등의 문제가
발생할 수 있다.[10]

---

10) 서울교육 특별기획2024 여름호(255호) 인공지능의 발달과 교육의 변화
유상미 (한성대학교 교수) https://webzine-serii.re.kr/

생성형 인공지능(AI) 활용 안내

1. Copilot(마이크로소프트 코파일럿)

코파일럿(Copilot)은 마이크로소프트(MS)의 대화형 인공지능입니다. 이전에는 New Bing, Bing Chat 등으로 불렸습니다. 코파일럿은 AI 개인 비서의 역할을 수행하며, 각종 검색, 글 구성, AI 그림그리기 등의 다양한 비서 역할을 합니다.

첫째, 구글 검색 [코파일럿]하고, [Copilot] 사이트에 접속합니다. https://copilot.microsoft.com/

둘째, [로그인] 또는 [회원 가입하기]를 선택하고 클릭합니다. MS 아이디로 가입하면 됩니다.

2부 에듀테크의 활용

셋째, [Copilot] 화면 구성입니다. 아래 질문 창에 질문을 입력하여 원하는 작업을 시작합니다.

Copilot을 검색하고 액세스할 수 있습니다. 퀴즈 질문부터 이미지 만들기에 이르기까지 Copilot에게 원하는 모든 것을 물어보세요. 친구처럼 Copilot은 다음에 해야 할 일에 대한 제안과 함께 빠르고 유용한 답변을 제공합니다. 음성을 사용하여 검색하거나 채팅할 수도 있습니다.

마이크로소프트 코파일럿 (Copilot) AI는 Microsoft의 강력한 인공지능 기술을 활용하여 만들어졌다. 마이크로소프트 코파일럿 (Copilot) AI는 다른 챗봇보다 더욱 정확하고 빠른 답변을 제공할 수 있습니다.

Microsoft Copilot의 기능

Edge 사이드바에서 Copilot 환경을 열면 탭을 변경하지 않고 보고 있는 특정 웹페이지를 참조하여 검색하고 요약할 수도 있습니다. Copilot은 창의적인 도구로 사용할 수 있습니다. 시, 이야기를 쓰거나 프로젝트에 대한 아이디어를 공유하는 데 도움이 될 수 있습니다.

Edge 사이드바에서 오른쪽 아이콘[]을 클릭하여 실시간으로 질문할 수 있다.

[Copilot]에 원하는 그림을 그려 달라고 입력하면 [빙 이미지 크리에이터]로 이동한다. 원하는 이미지를 질문하듯이 요청하면 4개의 이미지를 생성해줍니다.

원하는 이미지는 다운로드 하여 사용합니다.

2. 빙 이미지 크리에이터

빙 크리에이터는 이미지의 퀄리티가 우수하며, 이미지 생성 속도가 빠릅니다. 한 번에 4개의 이미지를 생성할 수 있으며, 모든 서비스는 무료로 제공됩니다. 또한, 예상하지 못한 이미지가 생성될 수도 있습니다.

첫째, 구글 검색 [빙 이미지 크리에이터] 또는 [빙 이미지 크리에이터] 사이트에 접속합니다. https://www.bing.com

둘째, [로그인] 또는 [회원 가입하기]를 선택하고 클릭합니다.

셋째, [빙 이미지 크리에이터] 화면 구성이 나타난다.

프롬프트에 만들고 싶은 이미지를 구체적으로 문자로 입력합니다. 원하는 그림을 그려 달라고 요청하면 됩니다. 빙 이미지 크리에이터는 누구나 사용하기에 매우 편리합니다.

생성된 이미지를 클릭한 후 오른쪽의 다운로드 버튼을 누르면, 생성된 이미지가 내 컴퓨터에 저장됩니다.

2부 에듀테크의 활용

3. Gemini(제미나이)

제미나이(Gemini)는 구글과 딥마인드가 개발한 멀티모달 (LMM) 생성형 인공지능 모델입니다. 구글의 [바드]에서 [제미나이]로 이름이 변경된 인공지능입니다.

구글의 제미나이는 교육 현장에서, 많은 도움이 될 것으로 기대됩니다. 제미나이는 대화가 가능하고 직관적이며 유용한 개인 AI 비서로, 궁금한 사항에 대한 정보 검색이 가능합니다. 행정업무의 효율성을 높이고, 학습자료를 생성해줍니다. 문서 작성, 수업 보조 자료 제작, 평가 아이디어 얻기 등 다양한 작업을 수행할 수 있습니다. 아이디어를 얻는 차원에서 활용을 권장합니다.

첫째, 구글 검색 [제미나이(Gemini)], 또는 [Gemini]사이트에 접속합니다. https://gemini.google.com

둘째, [로그인] 또는 [회원 가입하기]를 선택하고 클릭합니다. 구글 계정으로 사용합니다.

셋째, [제미나이(Gemini)] 화면 구성이 나타난다. 원하는 작업을 시작합니다.

제미나이는 질문에 답변의 속도도 다른 생성형 AI에 비해 빠른 편입니다.

위 그림 [여기에 프롬프트 입력] 창에 궁금한 것을 입력합니다.

2부 에듀테크의 활용

[글쓰기 요령은?]에 대하여 입력했다. 결과는 다음과 같이 제시했다.

11)

글의 구조를 나열하는 방법 계속해서 [질문-글의 구조를 나열하는 방법은?] 입력했더니 다음과 같이 제시했다.

---

11) https://gemini.google.com/

제미나이는 누구에게나 일상생활의 다양한 일을 더 쉽게 처리하고, 시간을 절약하도록 도움을 주고 있습니다. 다른 구글 앱들과도 호환되며, 앞으로 활용도는 무궁무진할 것입니다.

학교에서는 행정업무, 수업 보조 자료 제작 등 교육에 도움을 줄 수 있는 생성형 AI입니다. 운영 계획서나 보고서를 작성할 때 몇 개의 키워드를 제공하면 초안도 작성해 줍니다. 제미나이를 편리하게 사용하면 개인의 비서이자 친구, 동료로 활용할 수 있습니다.

구글의 제미나이(Gemini)는 구글의 모든 정보를 바탕으로 답변을 제공하는 방식입니다. 이로 인해 최신 정보까지 얻을 수 있는 장점이 있습니다.

최근 사건에 대한 정보 검색이나 최신 통계 자료를 알아보고자 할 때는 구글의 제미나이(Gemini)를 활용하는 것이 훨씬 정확하고 유익한 답을 얻을 수 있습니다.

2부 에듀테크의 활용

구글의 제미나이(Gemini)에 요청합니다.

질문 : Creat an image of a dog flying through space?
우주를 나는 강아지 이미지를 4개 보여줍니다.

[더 생성하기] [더 생성하기]를 클릭합니다. 새로운 이미지를
만들어 제공합니다.

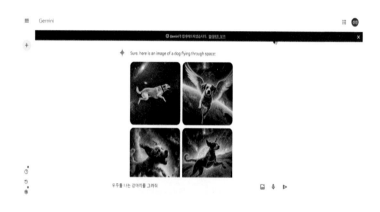

이미지 저장 파일의 형식은 *. jpg입니다.

제미나이(Gemini)는 시인입니다. 만약에 시를 쓰게 되면 아이디어를 얻는 데 좋은 방법이 되고 있습니다. "창작은 모방이다."를 실감합니다.

[중학생]을 주제로 시 한 편을 쓴 예시입니다.

중학생은 학교에 가는 꿈을 꾼다.

새로운 친구를 사귀고,
새로운 것을 배우고 싶어 합니다.
중학생은 어른이 되고 싶어 합니다.
더 많은 자유를 누리고,
더 많은 책임을 지고 싶어 합니다.
중학생은 성장하고 싶어 합니다.
더 똑똑해지고, 더 강해지고 싶어 합니다.
중학생은 미래를 꿈꾼다.
더 나은 세상을 만들고 싶어 합니다.

중학생은 희망입니다.
미래를 밝히는 희망입니다.

출처 : https://gemini.google.com/app

4. 뤼튼(Wrtn)

뤼튼(WRTN)은 WrtnTechnologies(뤼튼 테크놀로지스)에서 개발한 인공지능(AI) 언어 생성 기술을 사용하여 만들어졌습니다. 한국어 모델을 활용해 개발된 이 AI는 국내 정보 검색에 최적화된 검색 엔진입니다. 정보 검색과 글쓰기에 특화된 인공지능 모델로, 해당 서비스는 만 14세 미만의 사용자에게 보호자의 동의하에 제공됩니다.

현재 무료로 사용할 수 있으며, 가입할 때 정보 제공에 동의해야 합니다. 뤼튼(wrtn)에게 질문하면 관련 내용에 대한 답변을 제시해 줍니다.

① 뤼튼(wrtn)의 시작하기

첫째, 구글 검색 [뤼튼(wrtn)] 또는 [뤼튼(wrtn)] 사이트에 접속합니다. https://wrtn.ai/

둘째, [로그인] 또는 [회원 가입하기]를 선택하고 클릭합니다. 뤼튼(wrtn)은 신규일 경우 구글 아이디, 네이버, 카카오의 아이디와 비밀번호를 사용하여 가입합니다.

셋째, [뤼튼(wrtn)] 화면 구성이 나타난다. 원하는 작업을 시작합니다.

2부 에듀테크의 활용

뤼튼(wrtn)은 한글이라 편리하게 사용할 수 있습니다. 다음과 같은 상태에서 뤼튼에게 채팅합니다. 궁금한 사항을 질문합니다.

뤼튼(wrtn) 검색은 목적에 따라 3가지 방법으로 검색할 수 있습니다. AI 검색, AI 이미지, AI 과제와 업무입니다.

궁금한 사항 질문을 입력합니다.

편리하게 검색하기

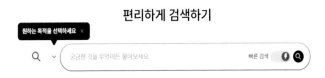

[중학생의 하루] 주제로 한 편의 글 예시

중학생의 하루
아침이 밝아오면 일어나 얼굴을 씻고 칫솔을 닦고,
빵 한 조각과 우유 한 컵으로 아침 식사를 마치고,
책가방에 교과서와 노트, 필기도구들을 넣어,
길게 늘어진 학교까지 걷는다.

수업 시간에는 열심히 듣고 공부하며,
점심시간에는 친구들과 함께 도시락을 나누며 이야기합니다.

체육 시간엔 모든 에너지를 발산하며,
방과 후 수업에서는 좋아하는 동아리 활동으로 시간을 보낸다.
하루의 마지막은 가족들과 함께 저녁 식사 후
숙제와 과제를 해결합니다.

그리고 햇볕이 지면 잠이 들 준비를 하며,
내일의 기대감으로 꿈속 세상으로 간다.

출처 : https://wrtn.ai/ 대화 내용 캡처

[다시 생성] 버튼을 클릭하면, 다시 내용이 약간 변경되면서 답변해 준다. 시도 창작하여 제시해 준다.

뤼튼(wrtn)아~ 그림을 그려줘!

뤼튼(wrtn)은 다양한 분야의 글, 문장, 단어 등을 생성할 수 있습니다. 그림 콘텐츠를 생성할 때 많이 사용할 수 있습니다. 뤼튼(wrtn) 화면입니다.

원하는 메뉴 [AI 이미지 선택]하고 질문합니다.

질문을 입력합니다.

" ~ 그림을 그려줘" 구체적으로 질문합니다.

wrtn아, 뤼튼을 소개하는 그림을 그려줘. 배경은 흰색, 컴퓨터 모니터 화면에 wrtn글자가 써 있고, 인간이 질문하고 대화하는
그림을 그려줘

답변　　　　　　　　　　　　　　　　　　답변 비교 (5/5) ∧

이미지를 다음과 같이 다시 그려봤어요!

[다시생성] 으로 여러 번 원하는 그림이 생성

될 때까지 할 수 있습니다

wrtn아, 뤼튼을 소개하는 그림을 그려줘. 배경은 흰색, 컴퓨터 모니터 화면에 wrtn글자가 써 있고, 인간이 질문하고 대화하는
그림을 그려줘

답변　　　　　　　　　　　　　　　　　답변 비교 (3/5) ∨

이미지를 다음과 같이 다시 그려봤어요!

답변 1
이미지를 다음과 같이 그려봤어요!

답변 2
이미지를 다음과 같이 다시 그려봤어요!

답변 3
이미지를 다음과 같이 다시 그려봤어요!

답변 4
이미지를 다음과 같이 다시 그려봤어요!

답변 5
이미지를 다음과 같이 다시 그려봤어요!

　　　　　　　2부 에듀테크의 활용

어린왕자 그림을 3D 형식으로 그려줘

🌑 **답변**

🌐 검색 과정 ⌄

⬚ 동영상 ⌄

◎ 이미지 ⌃

뤼튼(wrtn)의 그림을 저장하는 방법입니다.

그림에서 오른쪽 아래 [저장하기] 아이콘을 클릭하고 저장합니다.

파일의 형식은 [* . PNG] 입니다.

뤼튼 트레이닝

뤼튼 트레이닝은 AI 글쓰기 도구로, 자기 생각을 논리적으로 정리하여 스스로 글쓰기 훈련을 할 수 있도록 돕는 도구입니다. 뤼튼 트레이닝을 활용하면 주제에 대한 글을 작성하는 데 도움을 받을 수 있습니다.

첫째, 구글 검색 [뤼튼 트레이닝] 또는 [뤼튼 트레이닝]사이트에 접속합니다. https://training.wrtn.ai

둘째, [로그인] 또는 [회원 가입하기]를 선택하고 클릭합니다. 뤼튼 트레이닝 홈페이지에 접속합니다.

셋째, [뤼튼 트레이닝] 화면 구성이 나타난다. 원하는 작업을 시작합니다.

뤼튼의 글쓰기 트레이닝 과정은 누구나 쉽게 체계적인 글쓰기를 할 수 있도록 개요→본문→퇴고 총 3단계로 구성됩니다.

뤼튼 트레이닝을 활용하여 주제 글쓰기 글을 작성하도록 할 수 있습니다. 주제를 입력하고 글을 작성합니다.

뤼튼에게 작성하고 싶은 글의 주제를 간단히 알려주세요!

에듀테크의 활용   →

　개요에서 [AI에게 질문하기]를 선택하여 도움을 받고 작
성합니다. 인공지능이 관련 자료를 추천해 줍니다. 본문 단
계에서는 주장, 근거, 이유, 사례를 구체적으로 작성하여 글
을 쓰는 방법을 터득하게 됩니다.

글을 수정하고 맞춤법을 검사합니다.

퇴고를 통해 글이 완성됩니다. 매일 스스로 글쓰기 훈련을
하면 글쓰기 능력이 향상될 것입니다. 이는 학생들이 스스로
글쓰기 훈련을 할 수 있도록 돕는 AI 글쓰기 도구입니다.

5. 아숙업(AskUp)

카카오톡에서 ChatGPT를 사용할 수 있는 서비스는 'AskUp'입니다. AskUp에 대해 자세히 살펴보겠습니다.

카카오톡 앱을 실행한 후 '채널 추가'만 하면 사용할 수 있으며, 사용법도 매우 간단합니다. [친구] 탭의 우측 상단에 있는 [검색(돋보기)] 버튼을 터치한 후 "AskUp"을 검색하고, 채널을 추가하면 됩니다.

첫째, 핸드폰에서 검색 [카카오톡 - [친구] - AskUp] 접속합니다.

카카오톡 앱을 실행한 후, 하단의 친구 아이콘을 들어가서 상단에 돋보기 아이콘을 터치합니다.

둘째, 검색 창에 [AskUp] 또는 [아숙업]을 입력

셋째, [채널 추가]-[Ch+] 버튼을 터치하고 AskUp 채널 추가합니다.

① AskUp 사용

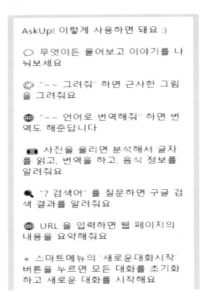

2부 에듀테크의 활용

② AskUp 질문하기

"공부 잘하는 방법을 알려줘?" 했다.

답변이 다음과 같이 제시했다. 생일, 승진, 축하 인사말 하기 어려운 경우 아이디어를 얻을 수 있습니다

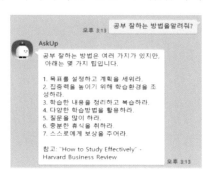

[GPT-4 버전]으로 대화를 하려면 느낌표 [!]로 대화를 시작하면 됩니다. 질문에 ! 붙이면 바로 GPT 4를 사용할 수 있어서 편리합니다.

[! 뉴턴의 운동 법칙 ~ 알려줘 예시]

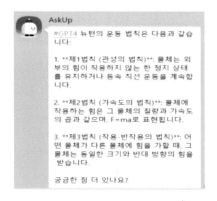

③ 그림을 그려줘? 질문하기

"잔디밭에서 노는 강아지 그림을 그려줘?" 했다.
그림을 다음과 같이 제시했다.

"겨울철 눈 쌓인 계곡을 그려줘?" 했다. 그림을 다음과 같
이 제시했다. 자세한 문장을 입력하여 질문하면, 더 좋은 이
미지를 제공해준다.

2부 에듀테크의 활용

6. CLOVA X(클로바 X)

　CLOVA X(클로바 엑스)는 네이버에서 대형 언어 모델(LLM)을 활용하여 만든 한국형 대화형 인공지능 서비스입니다. 이 서비스는 대화형 기능도 제공하며, 창작과 요약, 글쓰기 능력을 갖추고 있습니다.

　HyperCLOVA X는 한국의 문화와 맥락을 가장 잘 이해하는 네이버의 생성형 AI입니다. HyperCLOVA X 클로바 X의 소개입니다. 12)

> 1. 한국 문화와 사회에 대한 높은 감수성
> 2. 우수한 한국어 작문 실력
> 3. 유창한 다국어 능력
> 4. 토큰 효율성(토크나이저를 활용)
> 5. 보고, 듣고, 말할 수 있는 한국형 AI

---

12) 클로바 X의 소개
　　https://clova.ai/hyperclova

CLOVA X 가입하기

클로바 X 시작하는 방법을 안내합니다.

첫째, 구글 검색 [네이버 클로바 X] 또는 [클로바 X] 사이트에 접속합니다. https://clova-x.naver.com

Google   네이버 클로버 x   ✕   ▭   🎤   🔍   Q

이 사이트를 클릭합니다.

❎   **CLOVA X**
https://clova-x.naver.com   ⋮

CLOVA X - 네이버

CLOVA X란 무엇인가요? CLOVA **X**는 **네이버**의 초대규모(Hyperscale) 언어모델인 HyperCLOVA
X 기술을 바탕으로 만들어진 대화형 에이전트입니다. 사용자에게 도움이 되는 ...

**무한한 가능성을 여는
새로운 대화의 시작
CLOVA X**

시작하기 →

시작하기를 클릭하여 시작합니다. 클로바 X 사이트에 접속하면 대화를 시작할 수 있습니다.

     2부 에듀테크의 활용

둘째, [로그인] 또는 [회원 가입하기]를 선택하고 클릭합니다. 네이버 회원 아이디로 로그인합니다.

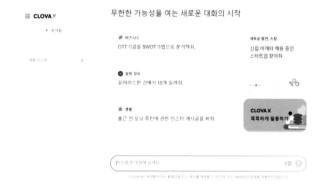

셋째, [네이버 클로바 X] 화면 구성이 나타난다. 클로바 X 첫 화면 대화하는 창에서 질문을 시작합니다.

원하는 것, 알고자 하는 내용을 입력합니다.

인천을 1박 2일간 여행하려고 합니다. 여행지와 맛집을 추천해봅니다.

인천을 1박 2일간 여행하려고 한다. 여행지와 맛집을 추천해 주세요

인천을 1박 2일간 여행하려고 한다. 여행지와 맛집을 추천해 주세요

인천에서 1박 2일간 여행하실 만한 여행지와 맛집을 추천해 드리겠습니다.

1. 여행지
   - 월미도: 인천 중구 북성동1가 98-352에 위치한 월미도는 바다를 볼 수 있는 관광지입니다. 놀이 기구와 유람선 등 다양한 즐길 거리가 있습니다.
   - 차이나타운: 인천 중구 차이나타운로 59-1에 위치한 차이나타운은 중국 문화를 체험할 수 있는 관광지입니다. 짜장면 등 중국 음식을 맛볼 수 있습니다.
   - 영종도: 인천 중구 영종동에 위치한 영종도는 바다를 볼 수 있는 관광지입니다. 해수욕장과 산책로 등이 있습니다.
   - 송도 센트럴파크: 인천 연수구 컨벤시아대로 160에 위치한 송도 센트럴파크는 산책하기 좋은 공원입니다. 수상 택시와 자전거 등을 대여할 수 있습니다.

2. 맛집
   - 신승반점: 인천 중구 차이나타운로44번길 31-3에 위치한 중식당입니다. 유니짜장과 찹쌀탕수육이 인기 메뉴입니다.
   - 진흥관: 경기 파주시 광탄면 혜음로 915에 위치한 중식당입니다. 짬뽕과 탕수육이 인기 메뉴입니다.
   - 황해 해물칼국수 1호점: 인천 중구 마시란로 24에 위치한 칼국수 전문점입니다. 신선한 해물이 들어간 칼국수가 인기 메뉴입니다.

인천을 1박 2일간 여행하려고 한다. 여행지와 맛집을 추천해 주세요

파라다이스시티 씨메르 워터파크
#부대시설이 잘 되어있어요 #수질 관
영업 중 · 리뷰 4,004

인천어린이과학관 과학관
운영 중 · 리뷰 1,133

송도 센트럴파크 근린공원
#뷰가 좋아요 #관리가 잘 되어있어요
리뷰 1,800

웝미테마파크 테마공원
#볼거리가 많아요 #뷰가 좋아요 #체험
운영 중 · 리뷰 9,203

원더박스 테마파크
#놀이기구가 다양해요 #볼거리가 많
영업 중 · 리뷰 7,783

옥토끼우주센터 박물관
#유익해요 #체험 프로그램이 다양해
운영 중 · 리뷰 4,954

예매 후불 표시된 항목은 선택을 네이버 예약·주문을 이용해보세요

2부 에듀테크의 활용

CLOVA X 문서 활용하는 질문

한국의 사회 데이터를 이용해 학습되어 한국 문화, 사회 및 보편적 인식에 대해 높은 이해도를 보유하고 있으며, 한국인이 공감할 수 있는 깊은 감수성을 표현합니다.

한국어 작문 실력 이미지와 음성 정보를 한국어로 추론할 수 있다. HyperCLOVA X과 사진을 보여주며 자연스럽게 음성으로 대화할 수 있는 AI 기술을 다양한 네이버 서비스 통해 만나볼 수 있습니다.

스킬을 활성화 부분에는 [문서도 첨부]할 수 있으며, 문서 업로드 하면 자동 실행되어 질문합니다.

문서 파일(DOCX, PDF, TXT, HWP)을 CLOVA X에 올릴 수 있는 기능이다. 문서의 양이 많은 경우 요약 기능을 이용하면 업무에 많은 도움을 받을 수 있습니다.

① PDF 문서 파일 업로드

② **PDF 파일을 업로드하고 질문한다.** 파일을 첨부하면, 내용을 자동으로 요약해 주는 것은 물론, CLOVA X와 해당 문서 내용에 대해 자유롭게 대화합니다.

학교 업무 에듀테크 활용

1. 에듀테크의 모든 것

2. 에듀테크의 활용

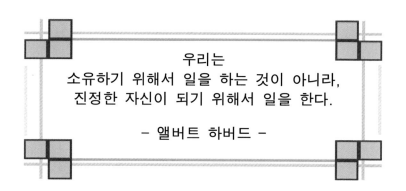

우리는
소유하기 위해서 일을 하는 것이 아니라,
진정한 자신이 되기 위해서 일을 한다.

- 앨버트 하버드 -

3부. 학교업무 에듀테크 활용

최근 생성형 인공지능(AI)은 여러 가지가 있습니다.

이를 통해 여러 가지 업무를 편리하게 활용할 수 있게 되었습니다. 학교 업무에서 생성형 인공지능 활용을 살펴보면, 학교 업무에 많은 도움이 될 것입니다. 학교 교육의 대전환기에 서 있는 것입니다. 단순 업무의 소요 시간을 줄여 업무 생산성을 향상시킬 수 있습니다. 인공지능(AI)과 가상현실(VR) 기술을 활용하여 학습의 효율성을 높이는 데 이바지할 것입니다.

에듀테크의 주요 장점은 개인 맞춤형 학습과 실시간 피드백을 제공한다는 점입니다. 정보 제공 및 아이디어 생성의 도구로 활용할 수 있습니다. 수업 시간에 필요한 주제를 선정하고 질문을 던지면 답변을 얻을 수 있습니다. 제시된 답변을 통해 다시 구체적으로 질문하여 정보를 얻을 수 있습니다. 작성한 글의 오류나 요약을 제공받을 수 있으며, 글쓰기 및 영어 문장의 오류도 찾아줍니다. 맞춤형 피드백을 제공할 수 있습니다.

토론 주제에 대한 보조 도구로 활용할 수 있습니다. 예를 들어, "OOO 주제를 추천해줘"라고 하면 토론 주제를 제시해 줍니다. 주제에 대해 추가 질문을 통해 구체적인 자료를 받을 수 있습니다.

생성형 인공지능 활용에서 중요한 것은 질문 능력입니다. 질문을 잘하는 것이 중요하며, 질문은 구체적으로 해야 합니다. 가능한 한 구체적으로 질문하고 후속 질문을 통해 계속 꼬리를 무는 방식으로 진행합니다. 답변의 제한 조건인 분량이나 개수를 조절할 수 있습니다. 예를 들어, "OOO을 표로 그려줘" 또는 "OOO을 3가지로 정리해줘"와 같은 질문입니다.

주어진 문제에 대한 주제를 검토하거나, 문법적 오류를 수정하거나, 설명문의 주장을 요약하거나 정리하는 데 사용할 수 있습니다. 또한, 근거 자료를 제시하여 토의 및 토론 자료로 활용할 수 있습니다. 이는 학교 업무에 활용되는 일로, 학생, 교사, 학부모에게 설문지를 배부하고 통계를 작성하는 등의 작업을 포함합니다.

생성형 인공지능(AI) 활용

생성형 인공지능은 새로운 콘텐츠와 아이디어(기사, 대화, 사진, 영상, 음악 등)를 창출하는 인공지능의 한 종류로, 학생들이 자신만의 미술 작품을 창작하는 데 필요한 도구와 지원을 제공합니다. 이러한 AI는 창의적인 아이디어를 구체화하고, 미술 작품을 계획하고 완성하는 데 도움을 줍니다. 이미지 생성형 AI로는 빙 이미지 크리에이터, DALL-E, 미드저니, 뤼튼, Lasco.ai 등이 있으며, 챗봇(ChatBot) 활용에도 긍정적인 효과와 부정적인 반응이 공존합니다.

챗봇을 통해 한글이나 영어로 질문하고 대화할 수 있으며, 이는 일상적인 토론 및 언어 연습에 유용합니다. 그러나 완벽한 인공지능은 존재하지 않으므로, 다양한 특성에 맞게 선택하여 사용하는 것이 중요합니다.

생성형 인공지능은 저작권 문제, 딥페이크와 같은 범죄 악용 우려, 부정확한 결과물 생성 등 몇 가지 문제점을 지니고 있습니다. 이에 따라 AI의 답변 출처를 알 수 없고, 잘못된 정보 제공으로 인한 신뢰성 논란도 존재합니다.

3부 학교업무 에듀테크 활용

교육부와 시·도교육청은 생성형 인공지능을 활용한 다양한 수업 사례를 제시하고 있습니다. 예를 들어, AI를 수업의 보조교사로 활용하거나, 토론 수업, 글쓰기 및 피드백, 코딩 수업, 그림 아이디어 제공, 학교 생활기록부 문구 예시, 학교 행정업무 등에 활용할 수 있습니다.

생성형 인공지능은 디자인, 예술, 음악 등 창의적인 작업에서 다양한 아이디어를 제공하며, 예를 들어 "시를 써줘" 또는 "그림을 그려줘"라는 요청에 적절한 답변을 생성합니다. 이는 아이디어 창출과 창작에 큰 도움이 됩니다. 또한, 글쓰기 분야에서도 작문, 아이디어 생성, 프로그래밍 코드 작성 등에서 유용하게 활용됩니다.

생성형 인공지능의 사용은 개인의 활용 역량에 따라 달라지며, 학교 업무, 수업, 학생 평가, 상담, 학습 전략, 일상 아이디어 해결 등에 도움을 줄 수 있습니다. 특히, 교사는 수업이나 업무에서의 어려움을 해결하는 데 필요한 아이디어를 얻는 데 ChatGPT를 유용한 친구로 여길 수 있습니다.

생성형 인공지능은 지식 소비자에서 생산자로 변환하는 데 도움을 주며, 일상에서 유용한 정보를 쉽게 얻을 수 있도록 합니다. 그러나 AI의 답변이 항상 정확하지 않다는 점을 잊지 말고 비판적으로 접근하는 것이 중요합니다. 이러한 점을 고려할 때, 생성형 인공지능은 수업 설계 및 다양한 문제 해결에 유용한 도구로 자리 잡고 있습니다. 다양한 질문을 통해 창의적인 아이디어를 발견하고, 학습 및 업무에 적극적으로 활용하기 기대합니다.

생성형 인공지능에 질문하는 내용에 따라 활용도는 다양합니다. 행정업무의 정보 수집과 아이디어 얻기, 학생들의 행동 발달사항에 대한 입력 문구 참고, 학부모에게 가정통신문 문자를 내는 문구 제시, 추천 도서 목록 받기 등 다양한 용도로 활용할 수 있습니다. 또한, 만화, 포스터, 공익 광고 제작, 공모전 참가, 창의적인 영상 만들기, 인공지능 프로그램 활용, 학습자료 제작 등에도 도움이 됩니다.

예를 들어, 특정 주제에 대해 문제를 만들거나 시험문제를 변형하고 출제하는 방법, 선다형, OX, 단답형 문제 작성, 특정 프로그래밍 코드 작성, AI를 활용한 상상 속의 그림 제작 등 다양한 방식으로 활용할 수 있습니다. 특히, 학교생활기록부의 '행동 발달 상황 작성 프로그램'을 이용하면 빠르게 평가 문장을 만들어 생활기록부 작성에 걸리는 시간을 절약할 수 있습니다.

생성형 인공지능의 수업과 업무 활용 방법에는 무궁무진합니다. 생성형 인공지능 사용은 개인의 활용 역량에 달렸습니다.

학교 업무, 수업, 학생 평가, 상담, 학습 전략, 일상 아이디어, 궁금한 사항 해결에 도움 문서의 초안 작성, 가정통신문, 운영 계획서, 인사말 작성, 행사 기획안을 제공 받을 수 있습니다. 시나 소설 같은 콘텐츠 창작에도 영향을 미칠 것입니다. 교육 분야에서 창의적인 아이디어를 얻어 활용하기를 바랍니다.

생성형 인공지능(AI) 활용 분야 예시

업무의 정보 수집과 아이디어 얻기,

학부모에게 문자 보내는 문구 제시하고 나열하기,

독서에서 추천 도서 목록 받기, 학교생활기록부 요약정리, 강의 개요 작성, 책 도서 초안 작성, 외국 논문 번역 요약, 학생의 문제 해결 상담, 고민, 생활 속 문제 해결궁금증 해결, 학생들의 행동 발달사항에 대한 입력 문구 참고하기, 창의적인 글쓰기, 시 쓰기, 유튜브 기획안, 수업 과정안 만들어주기, 시험문제를 변형하고 출제하는 방법(선다형, OX, 단답형, ( ) 넣기 등)제공, 프로그래밍 코드 작성,

AI를 활용 상상 속의 그림 제작, 수업에 대한 아이디어 피드백 제공, 수업 자료 아이디어, 수업 초안 참고자료 추천, 논문 자료 추천 요약….

학교생활기록부와 인공지능(AI)

교사는 수업과 평가, 학교 생활기록부 작성이 주 업무입니다. 수업하며 평가하고, 학생을 관찰하고 기록해 두었다가 학교생활기록부 항목별로 입력할 내용이 많습니다.

학교 생활기록부에는 자율 활동, 동아리 활동, 봉사 활동, 진로 활동 등의 창의적 체험 활동을 입력합니다. 또한, 개인별 세부 능력 및 특기사항, 과목별 세부 능력 및 특기사항, 행동 특성 및 종합 의견 등 학생의 특성과 활동에 맞춰 많은 문장을 작성해야 합니다. 기록할 내용은 구체적이고 꼼꼼하게 긍정적인 문구로 작성해야 합니다.

최근 학교 생활기록부 기록에 AI를 활용하는 사례가 늘어나고 있습니다. 생성형 인공지능을 활용하면 다양한 예시 문구를 제시받을 수 있습니다. 학생이 이를 통해 교사들의 학생부 작성 업무를 경감시켜 교사들이 교육 본연의 업무에 더욱 집중할 수 있도록 돕고 있습니다. 기재 요령에서는 생성형 인공지능과 같은 특정 프로그램명을 제한하고 있지 않습니다. 다만, 생성형 인공지능이 제공하는 데이터가 틀릴 수 있다는 점에 유의해야 합니다.

생성형 인공지능을 활용한 학교 생활기록부 작성은 직접 교사가 작성했을 때보다 문장이 훨씬 풍부해집니다. 행동 특성 및 종합적인 의견을 작성할 경우 인공지능 프로그램을 활용하면 행정업무 감소에도 도움이 되고 있습니다.

생성형 인공지능으로 얻은 자료를 참고하면 여러 문장을 조합할 수 있어, 학생의 특성을 더욱 적절하게 작성할 수 있습니다. 학기 말 시기에 많은 도움이 될 것으로 기대됩니다. 생성형 인공지능을 통해 선생님들의 수고를 덜어주고 있으며, 여기저기에서 방법을 공유하고 있습니다.

학교 수업 시간에 관찰하고 평가하고 검사한 사항을 기반으로 학교 생활기록부에 입력합니다. 제출한 보고서나 작품, 발표한 내용을 짧은 문장으로 표현하여 입력하면 평가 내용을 쉽게 작성할 수 있습니다. 이를 적절하게 다듬어 학교 생활기록부에 입력하는 것이 중요합니다.

학생의 특성을 간단히 기록해도 완성된 문장을 원하는 개수만큼 제공받을 수 있습니다. 기계가 제공한 내용을 바탕으로 학생의 구체적인 사례나 세부적인 특징을 기록할 때 참고하는 것이 바람직하다고 생각합니다.

생성형 인공지능의 학교 활용으로, 학생의 특성을 간단하게 입력하면 행동 발달사항을 자동으로 작성하여 제공해준다. 그뿐만 아니라 가정통신문의 인사말, 수업지도안 만들기, 연극 대본 제작 등을 제시해 줍니다.

교과별 세부 특기사항 예시
과목명, 수업 활동, 성취 정도(매우 잘함 / 잘함 / 보통 /어려워함) 등을 적어 주세요
발명의 과정을 수행에서 창의적인 뛰어난 능력을 갖추고 있으며, 만들기의 재능이 뛰어남. 상상력과 창의력을 통해 독특하고 혁신적인 아이디어를 생각해내며, 정투상법에 맞게 발명품을 자세하게 표현함. 발명품 메이커 활동 과정에서 안전 수칙을 준수하며 과제 수행하였으며, 발명품 작품 발표를 매우 잘함. 13)

---

13) 학교생활기록부 교과별 세부 특기사항 예시
https://getgpt.app/play/NdBp5XUMNO?list=d24a0066-4c20-428d-8032-870
    0b8bce689&index=3

생성형 인공지능을 활용으로 창의적인 다양한 아이디어를 얻을 수 있습니다.

1) 각종 대회 참가하기
2) 창의적인 글쓰기, 시, 수필, 책 만들기
3) 만화, 포스터, 공익 광고, 공모전 참가
4) 창의적인 영상 만들기, 그림책 만들기
5) 인공지능 프로그램의 활용하기
6) 학습자료 만들기, 퀴즈 만들기 답변 제시
7) 기타

지식 나눔터 카페14) 교사가 만들어가는[getgpt를 활용] 안내합니다.

15)

---

14) https://cafe.naver.com/tmentorteachers/432?art=ZXh0
15) https://getgpt.app/

에듀테크의 활용

학교에서 널리 사용되는 에듀테크의 종류를 간단하게 일반적인 사항을 중심으로 소개합니다.

1. 캔바

캔바는 문서 작성을 돕기 위해 인공지능을 탑재한 앱입니다. 유초중고 교사 모두 교사 인증을 받으면 콘텐츠를 무료로 이용할 수 있습니다. 이 앱은 학교 업무에 다양한 형태의 디자인을 제공합니다.

캔바 작업은 PPT를 제, 동영상 편집, 카드 뉴스 제작, 사진 편집, 스티커, 명함, 티켓 등 다양한 만들기 가능합니다.

캔바 기본 활용법

첫째, 검색 [캔바] 또는 [캔바] 사이트에 접속합니다.

https://www.canva.com/

둘째, [로그인] 또는 [회원 가입하기]를 선택하고 클릭합니다.

Canva 이용 약관

☑ **다음 모든 항목에 동의합니다.**

☑ **본인은 14세 이상이거나 학교의 요청을 받았습니다.**

☑ 이용 약관에 동의합니다.

☑ **(필수) 개인정보의 수집 및 사용에 동의합니다.** (더 보기)

동의 및 계속하기

간편 로그인 또는 회원가입

이메일이나 다른 서비스로 Canva를 계속 사용하세요(무료).

G **Google로 계속하기**

❏ **Facebook으로 계속하기**

✉ **이메일로 계속하기**

다른 방법을 사용하여 계속하기

계속하면 Canva의 이용 약관에 동의하는 것입니다. Canva의 개인정보 처리방침을 확인하세요.

셋째, [캔바] 화면 구성이 나타난다. 원하는 작업을 시작합니다. 주요 도구 및 기능을 살펴보며 작업을 합니다.

메뉴 구성엔 디자인, 템플릿, 미리 제작된 PPT, 관련 템플릿 표지 목차 양식 제공 편집할 수 있다.

레이 아웃 캔바의 메뉴의 [프로젝트]엔 지금까지 작업 한 파일이 보여준다. 디자인, 요소, 텍스트 등 작업을 합니다.

3부 학교업무 에듀테크 활용

[메뉴] 구성요소 활용하여 최근 디자인한 작업 파일입니다. 새로운 작업 하거나, 다시 만들기 또는 문서에 요소를 삽입합니다.

텍스트

이미지

삽입

파일

다운

저장

활용

가능

탬플릿 검색하고 선택하여, 캔바 디자인에서 작업

메뉴 [앱]

AI 기반한 앱을 활용하여 다양하게 제작

캔바에서 앱-> 달리(DALL-E)를 선택.

달리(DALL-E)를 이용하여 원하는 형 그림 그려줘? 하여 그림을 그릴 수 있습니다

2. 미리캔버스

미리캔버스는 무료 템플릿, 요소, 사진, 영상 등을 제공하여 손쉽게 자료를 제작할 수 있는 디자인 도구입니다.

첫째, 구글 검색 [미리캔버스] 또는 [미리캔버스] 사이트에 접속합니다. https://www.miricanvas.com/

둘째, [로그인] 또는 [회원 가입하기]를 선택하고 클릭합니다.

셋째, [미리캔버스] 화면 구성이 나타난다. 원하는 작업을 시작합니다.

미리캔버스의 가장 큰 장점은 다양한 템플릿입니다. 미리
캔버스에서는 각 상황에 맞는 여러 템플릿을 제공하여 활용
할 수 있습니다. 카드 뉴스, 프레젠테이션, 포스터, 북 커버,
로고, 배너 등 다양한 양식의 템플릿을 선택하여 사용할 수
있습니다.

미리캔버스는 텍스트, 사진, 동영상, 요소, 오디오 등 다양
한 구성요소를 삽입하여 디자인을 구성할 수 있습니다. 무료
로 사용할 수 있지만, 왕관 모양의 템플릿은 프로 요금제를
결제한 경우에만 사용할 수 있습니다.

3부 학교업무 에듀테크 활용

[QR/바코드 생성]

QR코드를 클릭합니다. 자신이 삽입하고 사이트나 영상 등의 url 링크를 입력합니다. 만들어진 QR코드의 크기를 수정하고 필요한 위치에 이동시킵니다.

미리캔버스 학교 수업, 학급, 학교 업무에 이용하는 사례입니다.

수업 시간 발표 자료, 시화 제작, 명함, 좌우명
만들기, 학급 신문, 학급의 시간표 만들기 등

학교 동아리 홍보지 만들기, 간단 동영상 만들기
교내 행사 안내 포스터, 홍보 게시판 만들기
교내 행사 현수막 만들기

개인 활용 만들기
기타

3. 투닝(Tooning)

투닝(Tooning)은 인공지능 웹툰 도구로, 투닝의 웹사이트에 접속하면 누구나 멋진 웹툰을 만들 수 있습니다. 웹툰 창작을 쉽고 빠르게 할 수 있습니다.

투닝은 캐릭터뿐만 아니라 화면 구성을 위한 배경, 효과 등의 다양한 자원을 제공합니다. 이 자원을 활용하여 진로 탐색, 인공지능 교육, 학교 행사 관련 등 다양한 창작 활동을 제작할 수 있습니다.

투닝은 선생님들에게 간단한 절차만으로 교육용 PRO를 평생 무료로 제공하며, 웹툰을 통해 창의력과 표현 능력을 기를 수 있습니다.

첫째, 구글 검색 [투닝(tooning)] 또는 [투닝(tooning)]사이트에 접속합니다. https://tooning.io

둘째, [로그인] 또는 [회원 가입하기]를 선택하고 클릭합니다.

스토리텔링 콘텐츠를 AI로 누구나 쉽게

투닝 에디터

초중고 교사는 교육용 PRO 신청하고, 학교 재직증명서 스캔 파일 제출 하여 무료로 활용합니다.

셋째, [투닝(tooning)] 화면 구성이 나타난다. 원하는 작업을 시작합니다.

기본 활용법은 주요 도구 및 기능 텍스트 말풍선 배경 요소 각각 추가하여 만듭니다.

활용 분야는 웹툰 제작, 이미지 캐릭터를 활용한 4컷 만화, 캐릭터 그리기, 그림동화 글쓰기, 포스터 제작 등 다양하게 활용할 수 있습니다.

인공지능(AI) 자동생성 기능

인공지능(AI) 자동생성 기능입니다. 생성형 인공지능이 탑재되어 만화의 스토리 구성에 어려움을 겪는 학생들이 도움을 받을 수 있습니다.

대화를 나누듯 챗봇에게 이야깃거리 제작에 관한 질문을 던지면 됩니다. 예를 들면 과거 위대한 인물과 채팅으로 궁금한 것을 질문하는 대화가 가능합니다.

세종대왕과 채팅으로 대화하기

투닝 매직은 투닝에서 AI 그림 그려주는 기능입니다.

수업 시간 / 창의적 체험 활동 시간, 사회, 창체, 도서관 연계 수업 등과 관련하여 다양한 주제로 웹툰을 제작할 수 있고, 웹툰뿐만 아니라 카드 뉴스, PPT 제작 등의 미디어 제작 수업을 진행할 수 있습니다.

4. 북 크리에이터(BOOK CREATOR)

 BOOK CREATOR

북크리에이터(BOOK CREATOR)는 손쉽게 전자책을 제작할 수 있는 도구입니다. 북 크리에이터 동화책 전자책 그림책 만들기입니다.

첫째, 구글 검색 [북 크리에이터] 또는 [북 크리에이터] 사이트에 접속합니다. https://bookcreator.com

둘째, 구글 계정으로 [로그인] 또는 [회원 가입하기]를 선택하고 클릭합니다. 북 크리에이터 홈페이지에 접속한 후 로그인합니다. 회원 가입. 교사용 가입[파란색] 선택합니다.

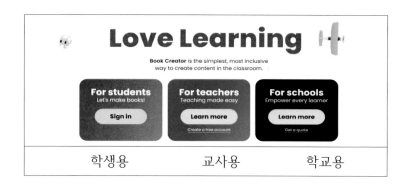

학생용	교사용	학교용

회원 가입이 되면 다음과 같습니다.

Teacher 선택	교사 인증 화면	학생 인증 화면

교사용 가입은 (학교급, 교과목 선택)

셋째, [북 크리에이터] 화면 구성이 나타난다. 원하는 작업을 시작합니다. 첫 화면입니다. 책의 종류를 선택하여 진자책을 만듭니다.

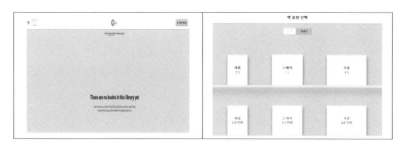

북크리에이터에서 전자책 샘플 제공한 예시입니다.

Template 선택하면 미리 만들어 둔 모양의 책으로 시작할 수 있다. 책의 내용 또는 주제에 따라 적당한 템플릿을 선택하여 [Add, 추가]하고 편집하면 된다.

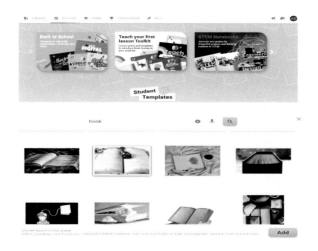

3부 학교업무 에듀테크 활용

전자책을 만들어 온라인에 출판이 가능. 무료/ 유료에서
가능합니다.

무료버전	40권의 책 공유 가능 2개 라이브러리 가능
유료버전	라이브러리 무제한 라이브러리 200권의 책 저장 가능 1,000권 책 저장 가능)

전자책 용도	내용 예시
학교 행사	학교 홍보 책자, 학부모에게 소개 자료, 사진, 동영상, 설명 가능 연중행사, 체육대회 소개 등
수업	수업 핵심 자료 - 영상, 그림, 링크, 유튜브 영상 재구성 PDF 연계 배치 가능
학생 포트폴리오	계기 교육 소감 과제 4컷 만화 그리기 - 발표

① 전자책 온라인 공유하기

전자책을 공유하는 방법은 링크를 복사하여 사이트를 카톡이나 밴드에 제공합니다.

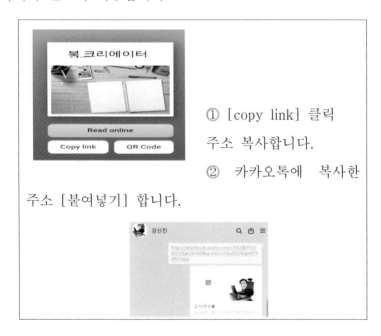

① [copy link] 클릭 주소 복사합니다.

② 카카오톡에 복사한 주소 [붙여넣기] 합니다.

카카오톡이나 컴퓨터에서 전자책을 읽어 볼 수 있습니다.

② 전자책 출판

 출판된 책은, 오른쪽 위에 지구 모양의 아이콘 표시됩니다.

출판된 책 2권에 출판 표시가 있고, 출판하지 않은 책은 표시가 없습니다.

[북크리에이터로 만든 전자책] 예시

5. 감마(GAMMA)

감마(GAMMA)는 PPT 자동생성 인공지능입니다. PPT 문서를 다양한 템플릿과 디자인 요소를 제공하여 쉽고 빠르게 다양한 슬라이드를 만들 수 있습니다.

첫째, 구글 검색 [감마(GAMMA)] 또는 [감마(GAMMA)] 사이트에 접속합니다. https://gamma.app/

둘째, Google 계정으로 [로그인] 또는 [회원 가입하기]를 선택하고 클릭합니다. 이메일을 이용하여 진행하면 됩니다.

셋째, [감마(GAMMA)] 화면 구성이 나타난다. 원하는 작업을 시작합니다.

한국어로 PPT를 제작해준다. 미리보기를 선택하고 테마를 살펴봅니다.

문서를 만들 것인지 한글로 주제를 입력합니다.

예를들면 [발명기법을 주제로] 만들어줘? 하면 목차, 내용, PPT 배경 그림까지 멋진 프레젠테이션을 만들어 줍니다.

제작된 PPT 자료는 이미지와 내용은 적절하게 수정 변경이 가능합니다.

6. 브루(VREW)

브루(Vrew))는 인공지능 기술을 활용하여 음성을 텍스트로 자동 변환하는 영상 편집 프로그램입니다. 쉽고 빠르게 영상 편집을 할 수 있고, 음성 인식 기능을 통한 자막을 자동으로 생성해줍니다.

첫째, 구글 검색 [브루(VREW)] 또는 [브루(VREW)]사이트에 접속합니다. https://vrew.ai/ko

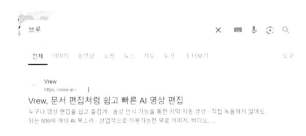

둘째, [다운로드]를 선택하고 다운로드하여 설치합니다.

셋째, [브루(VREW)] 화면 구성이 나타난다. 원하는 작업을 시작합니다.

넷째, [새로만들기] 클릭하면 [로그인]화면입니다. 회원가입하고 로그인합니다. 이름, 이메일, 비밀번호를 입력합니다.

브루(VREW)에서 동영상 크기 선택하고, 더빙 작업합니다.

대본 쓰기 하여 더빙합니다.

3부 학교업무 에듀테크 활용

대본을 읽어줄 AI 목소리를 선택합니다.

뉴스 스타일 더빙의 예시입니다.

음성인식으로 자동으로 생성된 자막이 정확한지 확인하고 삽입해야 합니다. 영상을 보면서 자막을 수정합니다.

영상을 끝까지 보면서 문자를 수정합니다. 영상에 그림 추
가도 가능합니다.

브루(VREW) 커뮤니티 - 튜토리얼 참고 예시

3부 학교업무 에듀테크 활용

7. 패들렛(PADLET)

Padlet은 실시간 공동 편집 기능을 갖춘 협업 활동 및 다재다능한 도구입니다. 다양한 파일 형식을 지원하며, YouTube 임베드 기능도 제공합니다. 개인적인 학습자료부터 클래스 안내 페이지, 학생 간 협업에 이르기까지 다양하게 활용될 수 있습니다. 하나의 작업 공간에 초대된 다수의 사람이 메모지를 붙여 공유하는 작업용 애플리케이션입니다.

첫째, 구글 검색 [패들렛] 또는 [Padlet] 사이트에 접속합니다. https://KO.padlet.com

둘째, 구글 가입되었다면 [회원 가입하기]를 하여 [로그인] 하고 클릭합니다. 패들렛은 학생들은 로그인하지 않고 사용할 수 있는 것이 가장 큰 특징입니다.

셋째, [패들렛] 화면 구성이 나타난다. 원하는 작업을 시작합니다. 패들렛에는 담벼락, 스트림, 그리드, 셸프, 지도, 캔버스, 타임라인 등 템플릿을 자유롭게 사용합니다.

[만들기]를 클릭하여 학습자료를 링크 걸어서 웹페이지를 모아 놓고 수업에 활용할 수 있습니다.

[패들렛 자료 수업 활용 예시]

패들렛 공유 가장 간단한 방법은, 패드렛의 URL을 복사 제공하여 공유합니다. 패들렛의 가장 큰 장점은, QR코드, 이메일, 링크 등을 통해 쉽게 접속할 수 있고 실시간 공동 편집이 가능합니다.

컴퓨터나 모바일로 협업할 수 있으며, 다양한 파일 형식 지원, YouTube 임베드 기능까지 다양한 콘텐츠를 추가로 삽입할 수 있습니다.

수업이나 강의 자료는 공유가 가능하며, 타임라인 템플릿을 활용해 자료를 관리할 수 있습니다.

8. Suno AI

Suno AI는 텍스트 입력으로 음악을 생성해주는 인공지능 도구입니다. 한글로 가사나 노래 제목을 입력하면 작사와 작곡을 해주며, 노래는 한국어로 부릅니다.

첫째, 구글 검색 [Suno AI] 또는 [Suno AI] 사이트에 접속합니다. https://suno.com

Suno AI 모니터 화면은 검정입니다. 깔끔하게 보이려고 회색으로 표현했습니다.

둘째, [로그인] 또는 [회원 가입하기]를 선택하고 클릭합니다. 왼쪽 아래의 [Sign Up] 버튼을 클릭하고 가입합니다. 구글 계정을 사용하면 됩니다.

SunoAI 제공되는 화면은 검정입니다.

구글 아이디 가입

셋째, [Suno AI] 화면 구성입니다

원하는 작업을 시작합니다. 회원 가입이 되면 다음과 같은 상태로 변합니다. 이제는 작곡을 할 수 있는 상태입니다.

Suno AI 화면 상태에서 작곡하는 방법은 간단합니다.

Suno AI 화면은 한국어로 선택(마우스 우측 버튼을 클릭하여 한국어 선택)합니다. 단 가사는 미리 준비하면 더욱 빠르게 작곡할 수 있습니다.

Suno AI 작곡하기

화면의 왼쪽 [만들다]를 선택합니다. 가사, 노래 스타일, 노래 제목을 선택하고 입력할 수 있습니다.

① 사용자 정의 모드에 가사 붙여넣기

한글에서 미리 작성한 가사를 복사합니다. 노래 가사를 미리 작성해 두면 곡을 빠르게 만들 수 있습니다.

② 사용자 정의 모드에서 가사 수정

가사를 입력하면 수정하거나 영어와 한글을 입력해 주면 가사도 혼합되어 나온다.

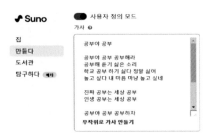

③ [임의 스타일 사용]

노래의 유형에는 임의스타일이나. 원하는 음악 유형을 선택합니다.

④ [제목]을 입력합니다.

[만들다] 클릭하면 오른쪽에 2곡이 만들어집니다.

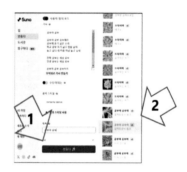

다양한 음악 스타일에 맞게 만들었다.

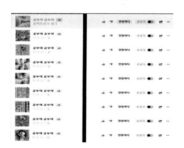

하루에 무료로 총 10개의 곡을 생성할 수 있습니다.

⑤ [공유하다]

[공유하다] 아이콘 버튼을 누르면 생성된 음원의 URL을 복사할 수 있습니다. 공유하려면 [링크 복사]하여 주소를 카톡으로 보내면 됩니다.

가. 공유하는 방법이다.

만들어진 노래의 오른쪽 **[노래 링크 복사]**를 선택하고 카톡으로 보내면 됩니다.

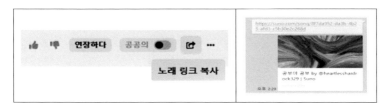

나. 오른쪽 가로점 3개 [...] 아이콘 메뉴를 선택합니다.

오디오, 또는 동영상 파일로 다운로드하거나 파일을 공유하기나 유튜브에 게시도 가능하다.

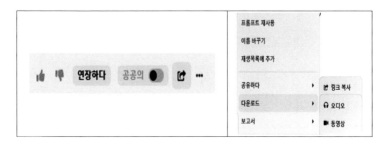

다. 동영상 파일로 내려받으면, 내 컴퓨터에 보관이 되고 실행하면 노래를 듣게 됩니다. 저장된 만들어진 노래를 재생합니다.

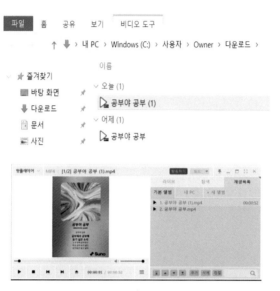

라. 유튜브에 파일을 업로드하고 들을 수 있습니다.

유튜브 사이트에서 노래가 재생됩니다. SunoAI가 작곡한 음악파일이 실행됩니다.

9. 네이버 클로바 더빙

인공지능(AI) 플랫폼인 네이버 클로바에서 개발한 플랫폼입니다. 텍스트를 음성으로 변환하는 기술입니다.

첫째, 구글 검색 [클로바더빙] 또는 [클로바더빙] 사이트에 접속합니다. https://clovadubbing.naver.com/

둘째, 구글이나 네이버 회원이라면 [로그인] 또는 [회원가입하기]를 선택하고 클릭합니다.

셋째, [클로바더빙] 화면 구성이 나타난다. 원하는 작업을 시작합니다.

① 음성 녹음하기

텍스트를 입력하고 여러 가지 어울리는 음성으로 변환하는 방법입니다.

② 영상 제작하기

발표 영상 만들기는 보고서, 탐구과제, 발표 자료를 텍스트와 음성 문구 입력하고 발표 영상 만들면 됩니다.

캔바에서 만든 자료, 파워포인트 제작 자료, 그림이나 사진을 동화, 광고, 캠페인 영상을 만들 수 있습니다.

10. 네이버 네이버 클로바 노트

네이버 네이버 클로바 노트를 활용하여 실시간 녹음하여 파일을 변환하는 기술입니다. 음성을 텍스트로 변환하는 방법입니다.

첫째, 구글 검색 [클로바노트] 또는 [네이버 클로바노트] 사이트에 접속합니다.

https://clovanote.naver.com/

둘째, [로그인] 또는 [회원 가입하기]를 선택하고 클릭합니다.

셋째, [네이버 클로바노트] 화면 구성이 나타난다. 원하는 작업을 시작합니다.

학생 발표, 말하기 평가. 학부모 상담 내용, 업무 회의 등 녹음 파일을 저장합니다. 목소리를 텍스트로 변환해준다.

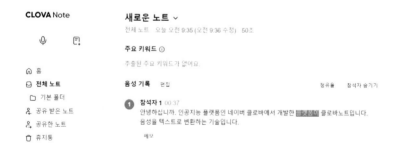

11. 학급 경영 플랫폼(클래스 123)

학급 경영을 위한 플랫폼 도구입니다. 교실 활동에 필요한 학급 경의 도구를 제공하며 과제와 수행 평가를 관리할 수 있습니다. 학생 칭찬 및 충고 관리, 학생과 학부모 간의 소통이 편리합니다.

또한, 온라인 수업 게시판을 통해 출석 확인 및 첨부 파일 제시 여부를 관리하고, 통계 처리를 할 수 있습니다. 온라인 수업 영상 첨부와 링크 제시 등 수업 관리 기능도 제공합니다.

첫째, 구글 검색 [클래스 123] 또는 [클래스 123] 사이트에 접속합니다. https://class123.ac/

둘째, [로그인] 또는 [회원 가입하기]를 선택하고 클릭합니다. 교사 회원 가입하고, 학급 구성하기 위한 학생, 학부모 가입 코드 다운로드하여 배부합니다.

학생, 학부모는 화면에서 직접 가입 접속합니다.

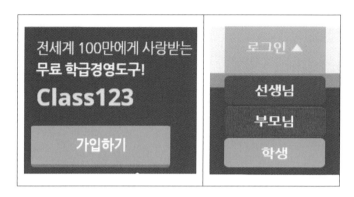

셋째, [클래스 123] 화면 구성이 나타난다. 원하는 작업을 시작합니다.

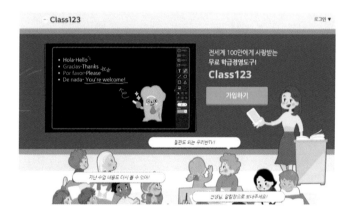

12. 팅커벨(tkbell)

팅커벨은 퀴즈뿐 아니라 토의토론, 보드, 워크시트(학습지), 게임 등을 묶어서 서비스하고 있습니다.

첫째, 구글 검색 [팅커벨] 또는 [팅커벨] 사이트에 접속합니다. http://tkbell.co.kr

둘째, [로그인] 또는 [회원 가입하기]를 선택하고 클릭합니다.

셋째, [팅커벨] 화면 구성이 나타난다. 원하는 작업을 시작합니다.

　에듀테크는 학생들의 학업 성취 수준에 따라 피드백 기능을 제공합니다. 에듀테크를 활용하면 수업에서 다수의 학생에게 하지 못한 맞춤형 피드백을 제공할 수 있습니다. 교사의 피드백은 매우 중요하며, 이는 개선을 위한 정보로 활용됩니다. 교육에서의 피드백은 학생의 성장을 위한 것입니다.

　학생들은 언제 어디서든지 답변을 받을 수 있지만, 교사가 즉시 답변하기 위해서는 시간적인 여유가 필요합니다.

13. 퀴즈앤(quizn)

퀴즈앤은 게임 기반 통합형 에듀테크 플랫폼입니다. 퀴즈 쇼를 이용해 재미있는 퀴즈를 진행하거나, 협업 보드를 통해 학생들이 공유하고 협업할 수 있는 도구입니다.

첫째, 구글 검색 [퀴즈앤] 또는 [퀴즈앤] 사이트에 접속합니다. 퀴즈앤 홈페이지 https://www.quizn.show/

둘째, [로그인] 또는 [회원 가입하기]를 선택하고 클릭합니다.

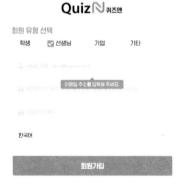

셋째, [퀴즈앤] 화면 구성이 나타난다. 원하는 작업을 시작합니다.

퀴즈앤 홈페이지

① 퀴즈앤 서비스 이용하기

무료 서비스	실시간 플레이, 미션, 보드 모두 참여 인원이 10명으로 제한
프로 서비스	실시간 퀴즈 250명, 미션 2,000명, 보드 250명 접속을 제공
체험하기	서비스 : 회원 가입 시 1개월간 체험 서비스 무료 이용, 프로 서비스와 동일한 기능

② 퀴즈앤 서비스의 종류

퀴즈쇼, 협업 보드, 상호작용 비디오 3가지입니다.

분야	세부 내용
	다양한 타입의 보드 유형으로 온라인 공간에서 학생들이 서로 즐겁고 유연하게 소통하며 활동할 수 있는 기능 제공
	10가지 이상의 다채로운 퀴즈, 설문 유형을 조합하여 개성 있는 퀴즈쇼를 구성하는 기능 제공
	동영상에 퀴즈를 조합하여 일방적인 영상자료가 아니라, 학생이 영상자료와 상호작용하며 집중력과 전달력을 높일 수 있는 기능 제공

실제 수업에서는 협업 보드를 이용하여 공유하고, 퀴즈쇼를 통해 재미있는 퀴즈를 진행할 수 있습니다. 또한, 협업 보드를 통해 학생들이 서로 공유하고 협업할 수 있는 도구로 활용됩니다. 다양한 평가를 하고 관찰 및 기록하는 활동도 가능합니다.

14. 메타버스 ZEP

ZEP EDU는 ZEP의 교육용 버전입니다. 웨일 스페이스 계정으로 접속하면 ZEP EDU에 접근할 수 있습니다. ZEP EDU는 나이의 제한 없이 사용할 수 있도록 제작된 메타버스 공간으로, 쉽게 이용할 수 있습니다.

첫째, 구글 검색 [ZEP EDU] 또는 [ZEP EDU]사이트에 접속합니다. https://zep.us/

ZEP EDU'버전을 통해 만 14세 미만도 사용할 수 있으며, 초·중등 상관없이 교실 수업 개선을 할 수 있습니다

네이버 ZEP 50명 무료 사용이 가능하다. 학생들의 흥미를 통해 수업에 집중, 현장감을 느끼며 수업 자료의 효과적 전달, 학생 주도형 수업으로 학생 참여형 수업입니다.

둘째, [로그인] 또는 [회원 가입하기]를 선택하고 클릭합니다.

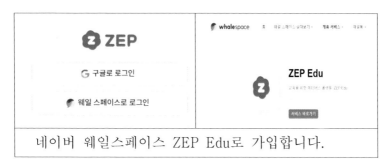

네이버 웨일스페이스 ZEP Edu로 가입합니다.

셋째, [ZEP EDU] 화면 구성이 나타난다. 원하는 작업을 시작합니다.

수업 시간 연계 미술관 감상, 진로, 창체 수업에서 ZEP에서 제공하는 맵과 출판사에서 제공하는 맵 등을 찾을 수 있습니다. 또한 다른 사람이 만든 맵을 수정하거나 빈 공간에 직접 만들 수도 있습니다.

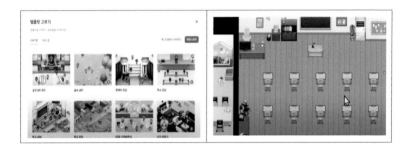

웨일 스페이스로 ZEP Edu 활용하기
대구광역시 교육연수원
https://www.youtube.com/watch?v=l3jkfuAe_DQ

에듀테크의 응용

인공지능(AI) 기술의 발전은 우리의 일상을 크게 변화시키고 있습니다. 교육, 산업, 금융, 제조업, 여행 등 다양한 분야에서 AI의 활용이 증가하고 있습니다. 교육 분야에서도 최신 AI 기능을 활용하여 창의적인 업무와 효율적인 수업을 수행할 필요성이 커지고 있습니다.

과거에는 궁금한 사항을 사전을 찾아보았지만, 최근에는 인터넷에서 정보를 검색하는 것이 일반화되었습니다. 인간의 뇌를 닮은 AI의 등장은 과거의 전화기와 현재의 핸드폰을 비교할 때 더욱 뚜렷하게 나타납니다. 글쓰기, 일상 아이디어 얻기, 프로그래밍 코드 작성, 그림그리기 등 다양한 작업을 지원하는 AI는 마치 비서와 같습니다.

과거의 옥편이 전자사전으로, 주판이 계산기로 변화한 것처럼, 현재의 휴대전화기는 다양한 기능을 갖춘 도구로 자리잡았습니다. 이제는 컴퓨터 활용 교육과 인터넷 정보 검색이 중요해졌고, 이러한 변화 속에서 에듀테크를 사용할 수 있는 기본적인 소양이 필요해졌습니다. 에듀테크 교육을 통해 학생들은 새로운 기술을 효과적으로 활용할 수 있는 능력을 배우게 됩니다.

에듀테크의 활용은 개인의 발전과 국가의 발전으로 이어집니다. 학생들과의 수업에서 스마트하게 에듀테크 도구를 활용하여 학습 효과를 높이는 것이 중요합니다. 수업 중 학생들과의 상호작용을 통해 효율적인 학습 방법을 모색하고, 학생들의 학습 상태를 실시간으로 파악하여 개별 맞춤형 지도를 제공함으로써 수업 효과를 극대화할 수 있습니다. 예를 들어, 학습한 내용으로 퀴즈를 내면 학생들은 스마트 기기에서 문제를 풀고 즉시 피드백을 받을 수 있으며, 교사가 제시한 자료를 즉각적으로 학생들의 화면에 보낼 수 있습니다. 그러나 에듀테크 기기를 모든 수업 시간에 활용하는 것은 아닙니다. 인공지능 시대라 하더라도 인성 역량을 함양하는 교육은 교육의 근본입니다.

에듀테크 활용 수업은 교사의 수업 재구성에 달려 있습니다. 개인이나 교과의 전문성에서 창의적인 아이디어를 얻을 수 있습니다. 교사는 에듀테크와 인공지능 도구를 활용한 수업 능력을 갖추고, 기본 기능과 활용 방법을 익혀야 합니다. 이를 통해 수업의 효과를 느끼고 효능감을 높일 수 있어야 합니다. 하지만 에듀테크가 모든 학습자와 교육 내용에 만능은 아닙니다. 적절한 활용이 중요하며, 학습 동기가 낮은 학습자에게는 큰 효과를 가져다주지 못할 가능성이 있습니다. 에듀테크나 AI형 로봇은 학습의 보조 수단으로 이해해야 합니다. 에듀테크를 어떻게 활용할 수 있을지 좋은 아이디어를 얻어갈 것이라고 기대합니다.

교육은 사람과 사람의 만남으로 이루어지며, 상호작용이 제대로 된 교육이 중요합니다. 교육의 본질적 기능은 인격의 올바른 형성과 자아실현입니다. 즉, 교육이란 성장하면서 인격이 형성되고 자신의 잠재 능력을 길러 세상에 이바지하도록 도와주는 것입니다.

에듀테크는 정의적이고 인간적인 관계를 맺는 학습에는 한계가 있을 수 있습니다. 교육은 사람에 의한, 사람을 위한, 사람의 교육이라는 점을 잊지 말아야 합니다. 따라서 에듀테크와 AI의 활용은 교육의 보조 수단으로서, 인간적인 상호작용을 통해 이루어져야 합니다.

행복한
미래 교사 되기

1. 인공지능(AI) 시대의 교사
2. 에듀테크와 미래 교육
3. 행복한 미래 교사

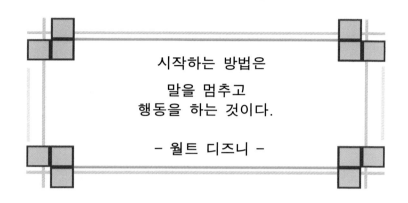

시작하는 방법은

말을 멈추고
행동을 하는 것이다.

- 월트 디즈니 -

4부. 행복한 미래교사 되기

유발 하라리 교수는 『사피엔스』에서 "2050년대 세상이 어떻게 달라질지 아무도 모른다. 우리 자녀 세대가 40대가 되었을 때 그들이 학교에서 배운 내용 중 80~90%는 쓸모 없을 확률이 높다"고 말했습니다. 이는 학교 교육에서 배우는 지식의 수명이 짧으니 평생 배워야 함을 강조하는 말입니다. 또한 세상에 대한 변화를 강조하며, 미래를 준비해야 한다는 의미입니다. 세상은 너무나 빠르게 변화하고 있으며, 기술은 더욱 발전할 것입니다. 따라서 시대 변화에 맞추어 다양한 정보와 지식을 융합하는 융합적 사고력을 기르는 교육이 필요합니다.

인공지능과 에듀테크는 교육의 도구입니다. 변화하는 세상에서 인공지능(AI)이나 메타버스(Metaverse)를 활용하는 교육 방식도 도입해야 합니다. 새로운 도구와 기술이 등장할 때마다 학습 보조 도구로서 수업에 활용해야 합니다. 교육에 기술을 활용하여 미래 사회에 대처하는 것이 중요합니다. 교사의 미래 역량이 요구되고 있습니다.

학교는 에듀테크 기술의 장단점을 잘 이해하고 적절히 활용해야 합니다. 학생들의 성장과 발전을 위하여 효과적인 도구입니다. 인공지능 시대에는 교육의 질을 높이는 데 더욱 집중해야 합니다. 학생 맞춤형 교육을 위한다면 학교 행정업무 줄이는 건 당연한 시대입니다. 요즘 교사들은 유능하고 책임감이 강하며, 제자들을 사랑하고 각자 최선을 다하고 있습니다. 공부에 관심 있는 학생들은 무엇이든 선택하고 잘할 수 있지만, 기초가 없는 학생들에게 큰 도움이 될 수 있도록 격려하고 지지해 주어야 합니다.

하이테크(High Tech)와 하이터치(High Touch)의 균형점을 찾는 것이 중요합니다. 하이터치 하이테크 교육은 교사가 첨단 기술을 활용해 개인별 맞춤형으로 창의적 학습을 이끌어내는 방식입니다. 개별화 교육은 전문성을 갖추고 코치로서의 임무를 수행해야 합니다. 교사는 멘토이자 코치, 퍼실리테이터로서 변화해야 할 시기입니다.

에듀테크와 미래 교육

"미래는 이미 우리 곁에 와 있습니다. 다만 골고루 퍼지지 않았을 뿐"이라는 윌리엄 깁슨의 말처럼, 우리는 미래 교육의 방향을 고민해야 할 시점에 있습니다. ChatGPT와 같은 생성형 인공지능의 등장은 교육 현장에 큰 변화를 요구하고 있으며, 이에 대한 대응 전략이 필요합니다.

미래 교육은 인공지능을 적용, 응용, 활용하는 방법을 학습해야 합니다. 이는 암기나 주입식 방식에서, 정보를 기록하고 정리하는 방법, 필요 정보를 선택하는 방법, 그리고 선택된 정보를 새롭게 창작하는 융합 교육으로 나아가야 합니다.

에듀테크 교육이 주목받는 이유는 에듀테크의 적절한 활용은 교육의 효율성을 높이는 중요한 요소입니다. AI 등 첨단 기술을 수업에 잘 적용함으로써, 교수·학습 방법은 변화해야 하며, 학생 개개인에게 맞는 수준별 맞춤형 교육이 실현되어야 합니다. 교사는 학생들 한명 한명 맞춤형으로 가르칠 수 없는 현실에서, 에듀테크를 수업에 활용하는 능력이 필수입니다.

인공지능 도구를 활용하여 학습 효과를 높이고, 자기 주도적인 학생으로 성장할 수 있도록 도와야 합니다. 이를 통해 핵심 역량을 함양하는 것이 중요하며, 현재 학교에서 시행하고 있는 STEAM 교육, Maker 교육, PBL 학습 방법이 핵심 역량을 함양하는 교육 목표와 일맥상통합니다.

미래 교육에서는 아날로그와 디지털 기술의 융합을 통해 학생들이 핵심 역량을 갖출 수 있도록 가르치는 것이 중요합니다. 기술 활용 능력보다 더 중요한 것은 인공지능을 통해 교육의 학습 목표를 달성하는 것입니다.

교사는 수업 혁신을 시도하고, 수업 문화를 변화시키는 역할을 해야 합니다. 이제 교사나 학생은 궁금한 것을 해결해 줄 생성형 인공지능(AI) 척척박사를 비서로 활용해야 합니다. 정보 검색 방법에 관한 기술이 발전하고 있으며, 정보를 올바르게 선택하고 판단하는 능력이 필요합니다. 교육은 이제 기억에서 이해로, 이해에서 비교하고 분석하는 능력으로 발전해야 합니다. 또한, 제대로 평가하고 종합하여 새로운 것을 창조하는 능력도 요구됩니다.

인공지능 시대의 교사는 한마디로 변화입니다. 시대의 변화에 적절하게 대응하는 변환자가 되는 방법입니다. 변화를 유연하게 받아들일 준비를 하는 태도와 습관입니다.

에듀테크 활용이 미래 교육의 전부로 인식되는 것은 아닙니다. 그러나 AI의 적절한 활용은 교육의 효율성을 높이는 데 필수입니다. 인공지능의 개발과 활용은 교육 분야에도 커다란 영향을 끼칠 것입니다. 인간의 고유 영역인 예술 분야에서도 창작에 활용되고 있습니다. 생성형 인공지능과 에듀테크를 활용할 줄 아는 기본 능력은 중요합니다. 정보 검색하는 능력과 에듀테크 활용 경험을 제공하는 것이 학교 교육의 핵심입니다.

인공지능은 미래 교육의 변화에 큰 영향을 미칠 것입니다. 교육은 가정과 학교의 협력관계가 더욱 중요합니다. 학교에서 친구와 함께 어울려 지내는 교실 환경에서 좋은 인성을 갖추게 하는 게 미래 교육의 기본입니다.

Copilot에 질문했다. 에듀테크의 장·단점이 궁금해요?

에듀테크의 장단점은 다음과 같습니다

장점:
맞춤형 교육: 학생 개개인의 학습 속도와 능력에 맞춘 교육이 가능해 학습 효과를 극대화할 수 있습니다.
흥미와 동기 부여: 다양한 멀티미디어 자료와 인터랙티브한 콘텐츠를 통해 학습에 대한 흥미와 동기를 높일 수 있습니다.
협업과 소통: 협업 도구를 활용해 학생들의 사회성과 의사소통 능력을 기를 수 있습니다.
접근성 향상: 디지털 기기와 플랫폼을 통해 시공간의 제약 없이 학습할 수 있어 교육의 접근성이 좋아집니다.

단점:
기술 의존성: 기술에 대한 의존도가 높아질 수 있으며, 기술 문제 발생 시 학습에 지장을 줄 수 있습니다.
격차 발생: 디지털 기기와 인터넷 접근성이 부족한 학생들에게는 교육 격차가 발생할 수 있습니다.
학습 동기 부족: 자기 주도적 학습 동기가 낮은 학생들에게는 큰 효과를 보지 못할 수 있습니다.

에듀테크를 잘 활용하면 많은 이점을 누릴 수 있지만, 단점도 고려해야 합니다. 도움이 되었길 바랍니다.[16]

출처 : Copilot에 질문한 답변 내용입니다.

---

16) 코파일럿
https://www.microsoft.com/ko-kr/microsoft-copilot

미래 교사의 역량

"교육의 질은 교사에게 달려 있다"는 말은 매우 중요합니다. 교사는 대한민국의 미래 인재를 가르치는 역할을 하는 위대한 사명으로 일하고 있습니다. 교사는 교육 실천가입니다. 교사는 조례 및 종례 시간의 전달 사항, 학생들의 생활지도, 진로 상담, 학부모 민원, 행정업무 등으로 바쁘고 힘든 일상을 보내고 있습니다. 최근 교사의 일상은 자신감으로 시작하지만, 자존감은 점점 낮아지는 상황입니다. 학교는 매일매일 변화무쌍합니다. 교육은 새로운 만남과 헤어짐의 반복입니다. 이제는 과거의 공부 방법을 모방하여 더욱 새롭게 적용하는 수업이 필요합니다.

교육제도와 교육 환경의 질이 누구에게 달려 있을까요. 행정업무를 덜어 주는 획기적인 대책이 필요합니다. 교육부는 일정 수준 이상의 에듀테크 활용 교육을 받을 수 있도록 연수 지원이 필요합니다. 생성형 인공지능에 대한 예산 지원도 필수적이며, 경력별 자격 연수와 재교육의 필요성도 강조되어야 합니다. 모든 교사가 평생 학습하고, 올바르게 가르칠 수 있는 여건과 지원이 마련되어야 합니다.

4부. 행복한 미래 교육

요즘 세대의 교사는 "내가 이러려고 교사 됐나!" 하며 자괴감을 느끼고, 학교 밖을 쳐다보게 되는 경우가 많습니다. 지나친 행정업무, 학부모의 과도한 민원, 학생들의 생활 지도 불응으로 교권 침해에 의욕 상실이 커지고 있습니다.

교사의 삶은 희노애락(喜怒哀樂)으로 가득 차 있습니다. 인내와 사랑이 보약이며, 그 자체가 답입니다. 매일매일 부단히 노력하며 성장의 즐거움을 느끼는 것이 교사의 길입니다. 교사의 길은 반듯한 길, 어려운 길, 구분된 길이 섞여 있습니다. 힘든 일이 많아도 일신우일신의 삶을 살아가야 합니다. 교사의 운명은 미래를 위해 가르치는 것이 사명이며 숙명임을 잊지 말아야 합니다. 교사의 보람과 만족은 가르친 시간이 축적된 후에야 깨닫게 됩니다.

모든 교육의 핵심은 교사의 수업으로 시작되며, 수업의 결과는 학생들의 역량으로 나타납니다. 학습 목표로 시작한 수업이 핵심 역량을 함양하는 목표로 변환되는 교육이 이루어져야 합니다. 행정업무가 줄어들고 수업에 집중할 수 있는 교사의 환경이 조성된다면 많은 문제가 해결될 것입니다.

오늘날 교육의 목적과 현재의 학교 상황에서 여러 문제가 발생하고 있습니다. 학교가 안고 있는 문제를 잘 해결하는 것이 미래 교육의 과제입니다. 대학 입학만이 교육 전부가 아닙니다. 중요한 것은 속도가 아니라 방향입니다.

미래 학교는 어떻게 변할까?

2022 개정 교육과정에 따라 새로운 인공지능과 에듀테크를 활용하는 수업 준비가 철저히 이루어져야 합니다. 새로운 정보와 기술을 빠르게 습득하고 적용하는 능력이 필요합니다. 미래 교사의 역량은 어제보다 나은 오늘을 준비하는 삶이어야 합니다. 디지털 인공지능 시대가 도래했습니다.

2025년부터 디지털 교과서가 보급되고, 다양한 에듀테크를 활용한 맞춤형 수업이 이루어질 것입니다. 미래형 교육 환경에 적합한 교실 수업 혁신을 위해 교사에게 지원과 연수가 필요합니다. 행정업무를 수행하고 배우며 가르치는 과정에서 시행착오가 발생하더라도, 이제는 이를 피할 수 없는 시대가 되었습니다.

생성형 AI의 발달로 교사가 교과서 진도를 나가고 시험을 보는 체제가 위협받고 있습니다. 이제는 지식 전달자에서 벗어나 학생들이 주도적으로 학습하고 협력하며 문제를 해결하는 능력을 키워주는 수업으로 변화해야 합니다. 학생은 지식의 소비자가 아니라 지식의 생산자가 될 가능성을 교육해야 합니다. 블룸의 교육 목표 분류표를 다시 언급하면, 최종 목적은 새로운 창조에 있습니다.

4부. 행복한 미래 교육

교육의 질 향상은 교사의 수업에서 시작되며, 이는 학생들의 역량으로 이어집니다. 미래 교육의 방향성을 설정하고, 교사에게 필요한 지원과 환경을 조성하는 것이 중요합니다.

교사는 수업을 설계하는 능력과 실천이라는 마음가짐이 우선입니다. 변화되는 세상에서 내 수업이 변해야 교육이 변하게 됩니다. 교육의 시작과 끝은 끊임없는 변화 속에서 이루어져야 하며, 모든 교육 주체가 함께 노력해야 합니다.

교육의 시작과 끝은 요람에서 무덤까지입니다. 미래를 이끌어갈 인재에 대한 교육 방식이 바뀌려면 어떠한 방향으로 나가야 하는지에 관한 교육철학이 중요합니다. 지금도 미래도 교육의 질 향상은 당연한 일이 되어야 합니다. 대한민국의 교육 이념인 홍익인간의 정신을 되새기고 실천할 때입니다.

미래교육과 인공지능

창조(創造)의 사전적 정의는 "없던 것을 새로 만드는 것" 입니다. 비슷한 의미의 표현으로는 모방과 흉내가 있습니다. "모방은 창조의 어머니"라는 말이 있듯이, 모방은 다른 사람이 만든 것을 보고 똑같이 복사하거나 베낀다는 의미가 아니라 비슷하게 흉내를 내는 것입니다.

"하늘 아래 새로운 것은 없다"라는 말은 글을 쓰거나 새로운 발명품을 개발할 때 자주 인용되는 문구입니다. 모방은 발명처럼 새로운 창작이 시작되는 과정입니다. 어떤 소설이나 영화, 글, 시, 발명품, 그림 등이 모방을 통해 창조됩니다. 호기심으로 자세히 관찰하여 아이디어를 얻고 이를 모방하여 창조하는 것입니다. 세상을 바라보면 모든 것이 발명이고 창조입니다. 창조는 모방에서 시작됩니다. 현재의 모든 물건은 새롭게 모방하여 창조한 발명품입니다. 이를 잘 활용하여 새로운 것을 창조하는 것이 신지식인의 역할입니다. 창조는 모방의 어머니이며, 누구나 다 창작하는 창작자입니다. 창작은 아이디어 구현의 과정이며, 노력과 고통을 동반하고, 그 결과에는 기쁨이 따릅니다.

4부. 행복한 미래 교육

생성형 인공지능이 우리 앞에 나타났습니다. 인공지능의 등장은 가상지식인을 탄생시켰습니다. 질문하기 전에는 단순한 데이터 프로그램이지만, 궁금한 것을 질문하면 모든 것을 알려주는 척척박사와 같습니다. 생성형 인공지능과 에듀테크 도구를 활용하여 아이디어를 얻는 방법입니다.

인공지능 ChatGPT에 질문하고 확인한 글 내용, 소설, 그림 등은 어떻게 처리해야 할까요? 짜깁기한 것? 모방한 것? 표절인가? 저작권은 누구에게 있을까? 라는 질문이 생깁니다. 이 또한 창작의 일환입니다. 저작물은 누구 것일까요. 창작은 창작자의 것이지요.

인공지능(AI)은 우리의 일과 업무를 대체하여 효율성을 높일 것은 분명합니다. 글을 요약하고 그림을 그려주기도 합니다. 그러나 인공지능이 모든 걸 다 할 수 있는 것은 아닙니다. 생성형 AI는 문장이나 이미지를 만들어낼 뿐 그 의미를 사람보다는 이해하지는 못할 것입니다. 인공지능이 우리에게 어떤 영향을 주는지를 분석하고 판단하는 능력이 필요합니다. 미래 교육은 인공지능과 함께 지내야 하는 시대가 되었습니다.

Bloom의 교육목표 분류

현재 세계 대부분 국가에서 지도하는 교육은 대부분이 블룸의 교육 목표 분류를 기반으로 교육합니다.

Bloom의 교육목표 분류는 인지적 영역에 대해 구체적으로 제시했습니다.

인간의 사고는 기억, 이해, 적용, 분석(추론), 평가(문제해결), 창안으로 구성되어 있습니다. 이 과정은 상위로 갈수록 더욱 복잡해지고, 점점 고차원적 사고의 단계로 진입하게 됩니다. 특히 평가 단계에서는 복합적 사고 과정을 경험하게 됩니다.

문제를 해결할 때는 한 가지 방법(개념, 지식 등)만 사용하는 것이 아니라, 여러 가지 방법을 적용하고 추론하여 해결하는 것이 중요합니다. 이러한 과정은 학생들이 문제를 다각적으로 분석하고 창의적으로 접근할 수 있도록 도와줍니다. 결국, Bloom의 분류는 교육 목표를 설정하고 학습 활동을 설계하는 데 유용한 프레임워크가 됩니다.[17]

---

17) 나무위키 https://namu.wiki/w/교육목표 분류

Bloom이 제시한 이론은 인간의 사고 과정을 세분화한 것으로, [교육 목표 분류표]라고도 불립니다. 이 분류는 다음과 같은 단계로 구성되어 있습니다.

---

1. 기억: 정보를 재생하고 회상하는 능력.
2. 이해: 정보를 해석하고 의미를 파악하는 과정.
3. 적용: 배운 내용을 실제 상황에 적용하는 능력.
4. 분석(추론): 정보를 분해하고 구성요소 간의 관계를 이해하는 과정.
5. 평가(문제 해결): 정보를 기반으로 결정을 내리고 문제를 해결하는 능력.
6. 창안: 새로운 아이디어나 제품을 창출하는 과정.

이러한 단계는 상위로 갈수록 사고 과정이 더욱 복잡해지고 고차원적으로 됩니다.[18]

---

18) 나무위키 Bloom의 교육목표 분류
   https://namu.wiki/w/블룸의 교육목표 분류

교육 목표는 학습 영역을 인지적 영역, 정의적 영역, 신체적 영역의 세 가지로 구분하고, 각 영역의 하위 학습 내용을 가장 단순한(저차원) 수준에서부터 가장 복잡한(고차원) 수준으로 계층적으로 분류합니다. 이러한 과정을 통해 무언의 깨달음을 얻게 되며, 이때 새로운 문제 해결 방법이나 발상, 이론의 실마리 등을 개발하게 됩니다. 현재 세계 대부분 국가에서 시행하는 교육은 Bloom의 교육 목표 분류를 기반으로 하고 있습니다.

우리나라 교육은 지식, 이해, 사고력 등 인지적 능력 개발을 목표로 교육과정에서 수업하고 평가합니다. 교사는 무엇을, 어떻게 가르치고, 무엇을 평가해야 하는가에 대한 고민이 선행되어야 합니다. 기본적인 지식을 습득하는 것은 개념을 기억하고 이해하는 단계로 시작됩니다. 비교 분석하고 추론하는 능력이 상상이며, 이를 표현하는 것이 종합적 사고입니다. 수업 시간에는 교육과정의 성취 기준을 가르치는 일이 중요합니다. 예를 들어, 에듀테크 생성형 AI를 활용하여 창작물을 만드는 활동이 있습니다. 생성형 AI를 통해 텍스트, 이미지, 음악, 영상 등을 생성하고, 이를 바탕으로 다양한 광고, 홍보물, 영상 등을 제작하는 방법을 배울 수 있습니다. 이러한 과정은 학생들이 창의력과 기술을 동시에 개발하는 데 큰 도움이 됩니다.

4부. 행복한 미래 교육

조지 버나드 쇼(1856~1950)는 "상상은 창조의 시작이다. 간절한 바람을 상상하고, 그다음 상상한 것을 바라고, 그리고 결국엔 바라던 것을 창조한다."라고 했습니다. 창조는 상상이고, 지식의 융합입니다. 창조는 융합적인 사고의 결과이며, 새로운 것을 만들어내는 결과물입니다. 인공지능 시대에는 상상력과 창의력이 더욱 중요해지고 있습니다. 모든 정보를 활용하여 문제를 해결하는 것은 종합적 사고의 창안과 창조입니다. 융합적인 사고를 통해 무엇인가를 새로운 것을 창조하는 것이 목적입니다. 미래 수업의 궁극적인 목표는 창조이며, 창조는 새로운 것을 지어내는 것을 의미합니다. 즉, 새로운 결과물을 만들어내는 것입니다. 모방은 창조의 기본이고, 창조는 융합적 사고의 결과입니다.

스티브 잡스는 "창조성은 여러 가지 것들을 연결하는 것일 뿐이다. 창의적인 사람들에게 어떻게 그런 일을 할 수 있었느냐고 물어보면 그들은 약간의 죄책감을 느낄 것이다. 그들은 실제로 한 일이 없기 때문이다. 그들은 그저 뭔가를 보았을 뿐이다. 얼마간의 시간이 지난 후 그것은 그들에게 명백해 보였다. 그래서 그들은 자신들의 경험을 연결해 새로운 것을 합성할 수 있었던 것이다."라고 했습니다. [19]

---

19) 스티브 잡스가 말한 창의력에 관한 명언 10가지
   https://blog.newswire.co.kr/?p=4982

행복한 교사의 역할

학교 수업에서 디지털 교과서의 영향력에 대한 의문은 여전합니다. 요즘 학생들의 디지털 평균 사용 시간이 급속도로 늘어나고 있으며, 학생들의 개인정보 보호 문제에 대한 대책도 필요합니다. 단순히 기기만 주어진다고 교육이 이루어지는 것은 아닙니다.

인공지능(AI)은 세상을 어떻게 바꿀까?
에듀테크는 수업을 어떻게 변화시킬까?

아인슈타인은 "교육의 목적은 인격의 형성에 있다"고 언급했습니다. 교육의 목적은 기계적인 사람을 만드는 것이 아니라 인간적인 사람을 만드는 데 있습니다. 또한 교육의 비결은 상호존중의 중요성을 알게 하는 것입니다. 일정한 틀에 짜여진 교육은 유익하지 않으며, 창조적인 표현과 지식에 대한 기쁨을 깨우쳐 주는 것이 교육자의 최고의 기술입니다. 교사는 다양한 에듀테크를 활용하여 수업을 효율적으로 진행하고, 학생의 학습을 지원하는 능력을 갖추어야 합니다.

그렇다면 공부는 왜 하는 것일까?

AI가 맞춤형으로 가르친다면 교사의 역할은?

4차 산업혁명 시대의 미래 교육은 어떻게 해야 할까?

교육은 교실에서만 이루어지는 것이 아니라, 사회의 다양한 분위기, 유튜브, 방송을 통해 이루어집니다. 미성숙한 학생이 성숙한 인간으로 성장하도록 돕는 것은 부모와 교사의 역할입니다. "아는 것이 힘"이며, 평생학습 시대입니다. 누구나 평생 공부를 해야 하는 시대이며, 배우면 알게 되고, 알게 되면 깨닫게 됩니다.

기존의 암기 위주 교육도 필요하고, 정보를 검색하고 찾는 교육도 중요합니다. 이제는 생성형 인공지능(AI)의 등장으로 정보를 수집하여 분석하고 종합하는 교육도 필요합니다.

미래 교육은 이 모든 것을 융합하는 창작 교육이 중요해질 것입니다. 이 글 또한 생성형 인공지능(AI)의 도움을 받았으며, 글을 쓰고 융합하여 만든 창작물입니다.

세상은 너무나 빠르게 변화하고 있으며, 기술은 더욱 발전할 것입니다. 따라서 시대 변화에 맞추어 다양한 정보와 지식을 융합하는 융합적 사고력과 교육이 필요합니다.

피터 드러커는 "미래를 예측하는 가장 좋은 방법은 스스로 미래를 만드는 것"이라고 했고, 볼테르는 "의심은 불쾌한 일이지만, 확신은 어리석은 일"이라고 했습니다. 현재 우리나라는 저출산·고령화와 학령인구의 감소가 심각해지고 있습니다. 지방의 소도시에서는 학교를 통합하거나 폐교하는 실정입니다. 또한 정보 기술의 발전과 인공지능 사회의 도래로 교육 시스템에 변화가 필요합니다.

학교가 존재하는 이유는 모든 학생이 학습의 과정에서 성공을 경험하게 하는 것입니다. 지금은 배우는 학생이지만, 미래의 주역입니다. 따라서 교사의 역할과 전문적 역량도 이에 따라 변화가 필요합니다. 과거와 현재, 미래 또한 시대의 변화에 적응하는 교사가 행복한 미래 교사입니다. 학생들에게 깊이 있는 지식을 전달하는 전문성이 더욱 필요합니다. 가르치는 분야에 대한 깊은 지식이 있어야 하며, 다양한 교육 방법을 활용하여 학생들의 흥미를 유발하고 적극적인 참여를 이끌어내는 게 중요합니다.

에듀테크의 활용은 교육 방법의 하나입니다. 디지털 기기를 적재적소에 활용하여 학습 효과를 높이는 일이 필요합니다. 개인 맞춤형 교육으로 피드백을 제공한다면 더욱더 금상첨화일 것입니다.

4부. 행복한 미래 교육

인공지능 시대의 교육에 변화가 필요하다. 미래를 대비하는 교육제도의 변화, 교육 내용의 변화, 교육 평가의 변화이다. 그리고 그 변화는 교육의 중심에 있는 교사로부터 시작돼야 합니다.

교사인 나는 어떻게 해야 하나?

교사는 가르치는 자(Teacher)입니다.
교사는 교육자(Educater)입니다.
교사는 변환자(Changer)입니다.
교육자는 퍼실리테이터(Facilitator)입니다.
교육자는 안내자(Guider)입니다.
교육자는 조정자(Moderater)입니다.
교육자는 주는 자(Giver)입니다.
교육자는 제공자(Server)입니다.
교육자는 도움을 주는 자(Helper)입니다.
교육자는 교사(Teacher)다.

교사는 무엇을 가르치는가?

공부는 "학문이나 기술을 배우고 익히는 것"입니다. 평생 해야 하는 것이 공부이므로, 평생 공부라는 말이 오늘날 중요하게 여겨지고 있습니다. 누구나 이를 실천해야 합니다. 교육은 사람들의 인간다움과 따뜻한 인간 중심 교육이 본질입니다.

교사는 학생에게 관심을 가지고 가르치며, 바른길로 안내해야 합니다. 제대로 알려주어도 학생들이 잘 따르지 않을 때도 있습니다. 이럴 때 교사는 인내하고 끝까지 최선을 다해 교육하는 것이 사명이며 의무입니다. 교사는 힘든 직업이며, 따뜻한 마음으로 정성껏 가르치는 것이 교사의 역할입니다. 교사는 수업을 구조화하고 끊임없이 학습하는 사람이며, 날로 발전하는 기술을 활용하는 데 민감할 필요가 있습니다.

사회는 늘 변화하며, 학교와 학생, 교육제도도 변해야 합니다. 미래 사회는 더욱 크게 변화할 것이며, 새로운 기술들이 학교 교육에 활용되면서 많은 변화가 기다리고 있습니다.

교사는 학생들에게 필요한 것을 제공하기 위해 역량과 전문성을 갖추어야 하며, 미래 사회의 변화에 따라 빠르게 적응할 준비를 항상 해야 합니다. 미래의 교사는 안내자, 조력자, 코치, 촉진자 역할을 해야 합니다. 교사는 가이드 역할과 코치 및 도우미의 임무를 수행하는 사람으로, 촉진자로서 실행할 수 있도록 도와주는 역할을 합니다.

교육부는 2025년 1학기부터 초등학교 3~4학년, 중·고등학교 1학년 수학, 영어, 정보, 국어(특수교육) 교과에 AI 디지털 교과서를 우선 적용할 계획입니다. 서책 교과서든 AI 디지털 교과서든 교육은 교사의 상호작용이 중요합니다. 교사는 디지털 데이터 기반으로 수업을 설계하며, 학생은 맞춤 학습 콘텐츠로 공부하는 방법이 필요합니다.

수업 시간에 졸고 있는 학생은 흔히 볼 수 있는 현상입니다. 이는 학생이 수업에 관심이 없거나 하기 싫은 경우가 많습니다. 처음부터 대놓고 자는 학생은 스스로 문제를 인식해야 하며, 상담이나 생활 습관 개선을 통해 해결해야 합니다.
교육은 교사와 학생이 마주 보는 눈빛을 통해 이루어지므로, 상호작용이 매우 중요합니다. 교사는 학생에게 잘하고 있다는 격려의 말을 통해 지지해야 하며, 다시 잘할 수 있도록 인정하고 칭찬하는 것이 정성입니다. 교사의 정성은 학생을 감동하게 만들고, 학생이 감사를 느낀다면 보람과 만족이 기다릴 것입니다.

현재 우리나라 교육은 정해진 답을 잘 골라야 좋은 대학에 가는 체제로 변하고 있습니다. 공부하는 이유는 명문 대학에 진학하고 보수가 높은 직장에 취직하기 위한 것이 대부분입니다. 학생과 교사 모두가 행복해야 하며, 교사는 잘 가르치는 행복이 우선이고, 학생은 소질을 계발하는 교육이 필요합니다. 학생 각자가 가지고 있는 꿈 꾸는 학교가 중요하며, 학생이 자신만의 모습을 찾아가는 것이 중요합니다.

미래 사회는 지금보다 크게 변할 것이며, 새로운 기술들이 학교 교육에 활용될 것입니다. 새로운 에듀테크는 지속해서 등장할 것이며, 미래의 에듀테크는 학생 개인별 맞춤형 학습의 가능성을 높여줄 것입니다. 학습은 점점 더 실제적인 삶의 문제를 다루고 체험을 통한 학습이 강화될 전망입니다. 따라서 프로젝트 수업, 문제 해결 수업 등의 비중이 커질 것입니다. 미래 교육은 질문을 통한 탐구학습이며, 문제를 찾고 문제를 해결하는 능력이 필요합니다. 미래 사회는 창의적 사고와 바른 인성이 중요해질 것입니다.

교육의 패러다임이 변화하는 시대입니다. 교육은 학생들에게 더 많이 생각하고, 더 많이 질문하고, 더 많이 토론하며, 더 많이 협력하는 교실로 변화할 수 있어야 합니다. 현재 교육은 대학입시를 위한 교육의 전부가 된 지 오래되었습니다.

4부. 행복한 미래 교육

미래 교육은 온고지신(溫故知新)입니다. 전통적인 교육 방식에서 좋은 것은 이어받고, 새롭게 바꿔야 할 것은 바꾸어야 하는 시대입니다. 교사의 역할이 변화하고, 교육 방법이 변화하고, 교육 내용이 변화하는 시기입니다. 생성형 AI가 가져오는 사회 변화에 AI 윤리교육이 강조해도 지나침은 없습다. 이제는 교육제도와 교육 시스템이 변해야 하는 때입니다. 교육제도가 바뀌고 교사의 역할이 바뀌어야 합니다. 학생들 또한 배움에는 적극적인 태도와 마음가짐의 기본이 중요합니다. 시대의 변화에 발맞추어 미래에 대해 깊이 고민해야 할 시기입니다.

진정한 교육은 세상의 변화를 알고 인간과 자연의 이치를 따르며 세상에 이바지하는 삶을 살도록 하는 홍익인간의 삶입니다. 교사는 이러한 교육의 중심에서 학생들을 이끌어야 하며, 따뜻한 마음과 전문성을 바탕으로 미래 사회에 적합한 교육을 실현해야 합니다.

미래인재에게 필요한 역량

　세상은 빠르게 변화하고 있습니다. 미래는 하이테크 시대입니다. 인공지능이 우리 눈앞에 나타나는 시대에 접어들었습니다. 많은 사람이 좋은 기술을 교육에 활용하면 교육 효과가 크다고 생각하고 있습니다. 이제는 남에게 이로운 것, 인류에게 감동을 주고받는 시대가 도래하고 있습니다. 제4차 산업혁명 시대는 변해야 하는 시기입니다. 학교 교육은 이제 바뀌어야 하며, 혁신에 도전하는 모험정신을 함양하는 것이 중요합니다.

　인공지능(AI)이나 메타버스(Metaverse)를 활용하는 교육 방식도 도입해야 합니다. 인공지능 로봇도 등장하고 있습니다. 전문기술은 제품을 개발하거나 연구하는 분야의 기술입니다. 전문기술은 명품을 제작할 때 부가가치가 큽니다. 명품을 조립하는 현장에서는 제품의 생산기술이 발전합니다. 생산기술은 미래를 위한 창의적인 아이디어가 필요합니다. 미래 기술은 사람을 위한 기술로 변화해야 인정받습니다. 기술은 사회를 발전시키며, 기술은 미래를 위하여 부가가치가 큰 교육입니다.

　　4부. 행복한 미래 교육

역량에 관한 OECD의 연구에 따르면, '역량(competence)'
이란 단순 지식(knowledge)이나 기능(skills)과 다르며, 그
이상의 것입니다. 미래학자들과 미래 교육 정책 전문가들은
교사의 미래 역량을 요구하고 있습니다. 시대 변화에 맞게
다양한 정보와 지식을 융합하는 융합적 사고력과 교육이 필
요합니다.

교사로서의 미래 역량이 요구되고 있습니다. 교사로서 갖
추어야 할 미래 역량 사항을 나열합니다.

하나, 전공 분야에 대한 지식과 전문성 향상

하나, 사회 직업인으로서의 책임감

하나, 교사로서의 교육 철학과 사명감

하나, 가르치는 학생들에게 사랑과 열정

하나, 수업 시간 성취 기준과 학습 목표 달성의 융통성

하나, 학생들을 대하는 상담 역량

하나, 학교 일상에서의 주변 사람들의 인간관계

하나, 문해력 향상과 학습 동기 부여 역량

하나, 학생과 학부모의 갈등 해결 능력

하나, 네트워크 시대의 에듀테크 역량

하나, 변하는 세상에 변화하는 능력

하나, 교육의 개념과 본질을 실천하는 능력 등

교육은 인격을 올바르게 형성하는 과정이며, 기술은 사람을 위하는 공부입니다. 교육은 속도가 아니라 방향입니다. 시대의 변화에 적절하게 대응하는 새로운 교육제도가 필요합니다. 학생에게는 맞춤형 교육을 통해 꿈을 꾸게 하고 도와주는 것이 중요합니다. 교육은 인격 형성이요, 미래 교육은 인성과 창의성의 중요성을 깊이 새겨야 할 내용입니다.

『경북일보 신문』 이세균 학장의 기사 일부입니다.

현재 하이테크(high-tech)와 하이터치(high-touch) 시대에 살고 있습니다. 존 네이스빗이 쓴 '하이테크-하이터치(High Tech-High Touch)'라는 책이 있다.

새로운 기술을 활용하고 변화에 대처하면 미래 사회가 더욱 발전하게 됩니다. 에듀테크를 활용하는 하이테크 시대에 접어들었으며, 4차 산업혁명 시대에는 사물인터넷, 가상현실, 증강현실, 인공지능 및 로봇 등을 활용하여 교육 분야를 발전시켜야 합니다.

학생들에게 풍부한 교육 자료를 제공함으로써 인성을 중요시하고 인간적인 감성을 느낄 수 있도록 해야 합니다. '인성이 실력이다.'라는 말이 마음에 와닿는다.[20]

---

20) 경북일보 제4차 산업혁명과 하이터치(2017.2.12.)
https://www.kyongbuk.co.kr/news/articleView.html?idxno=984647&sc_serial_code=SRN80

미래 역량과 ChatGPT의 등장은 신인류 가상지식인을 탄생시켰습니다. 기술은 미래의 핵심 요소이며, 우리의 생각을 바꾸면 미래를 더 잘 이해할 수 있습니다. 미래를 위해 똑똑한 기술을 활용하여 따뜻한 세상을 만들어가는 것이 중요합니다. AI는 교사의 역할을 보조하는 도구로서, 학생들과 소통하고 공감할 기회를 제공합니다. 이러한 변화를 통해 교육의 질을 향상시키고, 학생들이 더 나은 미래를 꿈꿀 수 있도록 도와줘야 합니다.

학교는 무엇을 가르쳐야 할까?
미래의 인재상은 무엇일까?
가치 있는 삶은 무엇인가?

과거에는 어른의 경험이 중요했고, 19세기에는 백과사전이 가치 있었습니다. 지금은 컴퓨터가 문제를 해결하고, 최근에는 검색을 통해 거의 모든 정보를 얻을 수 있게 되었습니다. 이제는 종합백과사전과 AI 로봇이 대세인 시대에 접어들었고, ChatGPT는 많은 질문에 대한 답을 제공해줍니다. 이에 따라 다양한 곳에서 ChatGPT 연수를 받느라 분주한 상황입니다. 생성형 인공지능은 마치 척척박사처럼 정보를 제공하는 역할을 합니다.

교육의 목표는 지식, 기술, 태도의 함양입니다.

과거의 일반적인 지식 점수 시험공부는 이제 기계 학습과 검색 엔진으로 대체되고 있습니다. 에듀테크 기술은 인공지능과 로봇으로 점차 자동화될 것입니다. 그러나 태도는 여전히 인간에게 중요한 역량으로, 미래형 인재를 양성하는 데 필수적입니다. 이러한 변화 속에서 우리는 기술과 인성을 조화롭게 발전시켜 나가야 합니다. 홍익인간의 이념과 정신을 실천할 때가 왔습니다.

21세기 교육 역량 16가지 기술

세계경제포럼(WEF)은 21세기 교육 역량을 제시하며, 미래의 학생들에게 필요한 16가지 기술을 강조했습니다.

16가지 기술들은 기초 소양, 역량, 성격적 특성 등을 포함하여 미래 인재에게 필수적인 요소들입니다. 이 기술은 학생들이 변화하는 시대에 적응하고, 창의적이며 비판적인 사고를 할 수 있도록 돕는 중요한 기반이 됩니다.

교육 현장에서는 이러한 기술을 효과적으로 함양하는 방법을 모색해야 하며, 학생들이 미래 사회에서 성공적으로 살아갈 수 있도록 지원해야 합니다.

4부. 행복한 미래 교육

기초 소양, 역량, 성격적 특성에 대한 요소

필요한 역량 기초 소양 6가지 : 글을 읽고 쓸 줄 아는 문해력, 사칙연산을 할 수 있는 산술 능력, 과학 소양, 컴퓨터에 대한 지식을 의미하는 ICT 소양, 금융 소양, 문화적인 시민 소양 등 6가지입니다.

미래 인재에게 필요한 역량 4가지 : 비판적 사고력 및 문제 해결 능력, 창의력, 소통 능력, 협업 능력 등 4가지입니다.

인성 성격적 특성 6가지 : 호기심, 진취성, 지구력, 적응력, 지도력, 사회문화적 의식 등 6가지를 제시했다.

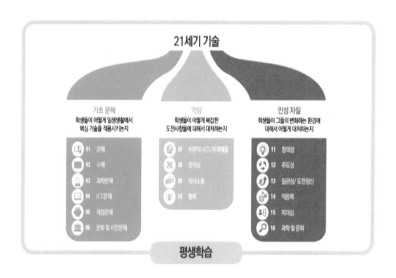

수업 시간은 4C(비판적 사고, 창의성, 협력, 의사소통) 역량을 키우는 기회이기도 하며, 교육 방법과 평가 방식을 변화시키는 것이 필요합니다.

암기 위주의 교육도 여전히 필요하지만, 과정 중심의 수행 평가 확대와 관찰 평가를 통해 학생들의 집중력과 협력 능력을 강화해야 합니다. 교사의 역할은 더욱 중요해지고 있으며, 교학상장(敎學相長)과 역지사지(易地思之)의 마음으로 수업에 임해야 합니다.

학생들이 문제를 해결하고 질문하는 능력을 기르며, 인공지능을 적재적소에 활용하는 것이 중요합니다. 생성형 인공지능은 다양한 작업을 효율적으로 도와주는 도구로, 그림그리기, 질문에 답하기, 책 요약하기 등 여러 분야에서 활용될 수 있습니다.

AI를 통해 더 행복한 교육과 삶을 만들어가는 미래를 기대하며, 우리는 그 방향으로 나아가야 합니다. 미래는 예측하기 어렵지만, 긍정적인 변화를 위해 노력하는 것이 중요합니다.

4부. 행복한 미래 교육

교사에게 필요한 미래 역량은?

생성형 인공지능(AI)의 등장은 가상 지식인의 출현을 가져왔습니다. 우리는 이러한 사회 전반의 크나큰 변화에 빠르게 적응해야 할 필요가 있습니다. 변화하는 미래를 준비하고, 2030년 교실 수업의 모습을 상상하며, 학생의 참여와 몰입을 이끌어낼 교육법을 고민해야 합니다.

생성형 인공지능(AI)은 사람보다 더 능률적으로 답변하며, 전문 분야에서도 빠르게 발전하고 있습니다. 이러한 기술의 발전은 일자리를 감소시키는 원인이기도 하므로, 미래 교육은 AI 기술을 자연스럽게 배우고 활용하는 방향으로 나아가야 합니다. 개인의 삶에 AI가 스며들 수 있도록 교육이 이루어져야 하며, 이는 개인, 기업, 국가 차원에서 모두 고민해야 할 과제입니다.

4차 산업혁명 시대에는 다양하고 창의적인 사고력이 더욱 요구됩니다. 인공지능은 사회에 큰 변화를 가져올 것이므로, 교사들은 이에 빠르게 적응하고 준비해야 합니다. 2030년에는 기술 발전과 함께 교육 방식도 변화하여, 증강현실과 가상현실, 대면 수업이 과목의 특성에 따라 다르게 활용될 것입니다.

학교는 변화가 필요한 시점이며, 자동화되는 분야와 여전히 인간의 역할이 중요한 분야가 공존할 것입니다. 미래의 인재상은 변화하고 있으며, 이러한 변화에 맞춰 교육 시스템도 적절히 조정되어야 합니다. AI 기술을 효과적으로 활용하는 인재를 양성하는 것이 중요합니다.

2016년 다보스 포럼에서는 미래 사회에 필요한 인재가 지녀야 할 핵심 역량 4가지를 제시했습니다. 이 4C는 비판적 사고 능력(Critical Thinking), 창의력(Creativity), 의사소통 능력(Communication Skills), 협업 능력(Collaboration)입니다. 오늘날에는 컴퓨팅 사고력(Computational Thinking)과 융합 역량(Convergence)도 필요합니다.

미래 인재가 갖추어야 할 핵심 역량을 가르치는 것이 중요합니다. 예측할 수 없는 문제들이 발생할 것이므로, 학생들은 문제 해결 능력과 비판적 사고 능력을 강화해야 합니다. 일상에서의 경험을 바탕으로 비판적으로 사고하고, 그 경험에서 배울 수 있는 점을 찾아보는 것이 필요합니다. 또한, 창의성을 촉진하기 위해 학생들이 새로운 아이디어를 제안하고 실행하는 능력을 키워야 합니다.

디지털 리터러시는 이제 단순한 읽고 쓰는 능력을 넘어, 다양한 미디어를 통해 정보를 찾고 평가하며 조합할 수 있는 개인의 능력을 의미합니다. 따라서 학교에서도 디지털 리터러시 교육의 필요성이 강조되고 있습니다. 이는 인터넷의 수많은 정보 중 올바른 정보를 선별해야 하기 때문입니다.

학생들은 다른 사람과 소통하고 협력하여 문제를 해결하며, 그룹 내에서의 역할과 책임을 이해하고 협업하는 능력을 갖춘 인재가 필요합니다. 미래 인재의 여섯 가지 조건으로 다니엘 핑크(Daniel H. Pink)는 "의미, 디자인, 이야기, 공감, 조화, 놀이"를 언급했습니다. 공감은 사람과 사람이 서로 사랑하고 함께 사는 삶을 의미합니다.

미래를 만들어가는 교사들의 역할은 매우 중요합니다. 지속적인 학습이 필수적이며, 평생 배우고 공부하는 학습 습관이 필요합니다. 교수·학습에서도 핵심 역량을 함양하는 교육이 가장 중요합니다. 인공지능이 등장하고 새롭게 변하는 시대에는 평가 방법도 개선되어야 합니다. 학생을 평가하고 관리하는 주체에서 벗어나, 개인별 학습을 지원하는 역할을 해야 합니다. 학생들의 문제 해결 과정을 돕는 학습의 조력자가 되어야 하며, 교사가 주도하여 미래형 교수법을 활용하는 것이 중요합니다. 미래 교육에서도 교사의 역할은 더욱 커질 것입니다.

미래가 디지털화되더라도 사람이 사람다워지는 교육이 이루어져야 합니다. 현재의 빠른 변화 속에서도 사람의 인격과 윤리적 가치는 변하지 않을 것입니다. 학생들에게 창의성을 촉진하고, 변화하는 시대에 대처할 수 있는 능력을 갖추도록 교육해야 합니다.

인공지능 시대를 대비한 교육은 보다 멀리 내다보는 것이며, 교육과 인간 삶의 본질을 탐구하는 것입니다. 미래 인공지능 시대의 교사는 인간 중심의 교육을 실천할 수 있는 지적 탐구활동의 전문성이 요구됩니다. 학교는 바뀌어야 할 부분도 있지만, 반드시 바뀌지 않아야 할 부분도 존재합니다. 교육은 미래를 기다리며 현재를 가르치는 과정입니다.

생성형 인공지능과 에듀테크의 활용은 이제 선택이 아닌 필수입니다. 실생활 문제 해결 능력을 향상하기 위한 깊이 있는 교육이 필요합니다. 인공지능은 신속하고 그럴듯한 답변을 제공하지만, 때때로 잘못된 정보도 포함될 수 있습니다. 따라서 이를 올바르게 판단하는 비판적 사고력과 융합 능력이 중요합니다.

4부. 행복한 미래 교육

시대가 변해도 변하지 말아야 할 교육은 무엇입니까?
생성형 인공지능 뤼튼(Wrtn)에게 질문했다.

시대가 바뀌어도 변하지 말아야 하는 교육

인격과 윤리 교육: 인격과 윤리적 가치는 어떤 시대에도 변하지 않습니다. 따라서, 학생들은 인격적이며 윤리적인 교육을 받아 본성을 닦고 삶을 지혜롭게 살아가는 데 필요한 가치관을 배워야 합니다.

창의성과 독립적인 사고력의 계발: 어떤 시대에서도 창의성과 독립적인 사고력은 가장 중요한 능력 중 하나입니다. 따라서, 학생들은 학습과 문제 해결을 위한 창의성을 촉진하고, 독립적인 사고 능력을 키움으로써 변화하는 시대에도 능동적으로 대처할 수 있는 능력을 갖추어야 합니다.

기초적인 학문과 지식: 어떤 시대에서도 상식적인 이해, 기본적인 학문 지식은 중요합니다. 이러한 기초적인 지식이 없으면 보다 발전된 분야의 학습이 어려울뿐더러, 자신의 생각을 충분히 표현하고, 이해하기 어렵고 올바른 결정을 내리기도 어렵습니다.

산업현장에서의 직무능력: 업무 기술의 발달로 인해 사회에서 요구하는 직무능력은 항상 변화합니다. 하지만, 학생들은 기초적인 직무능력을 키움으로써 언제든 시대에 대응할 수 있는 직업기술을 습득할 준비가 되어 있어야 합니다.

이러한 교육은 시대가 어떻게 변하더라도 지속적으로 업데이트하면서, 그 가치와 용도를 유지하며 보존되어야 합니다. [21]

---

21) 출처 : https://wrtn.ai 검색 자료

미래 교사의 역할은?

무엇을(what) 가르칠 것인가?

어떻게(how) 가르칠 것인가?

왜 가르칠 것인가?

미래 좋은 학교 교육이란 무엇인가?

새로운 미래를 어떻게 준비해야 하는가?

우리 교육은 어떻게 변해야 할까?

우리나라 교육이념인 홍익인간과 교육의 본질은 다시 생각할 때입니다.

학생을 변화시키는 방법은 무엇일까?

교사를 변화시키는 방법은 무엇일까?

학교를 변화시키는 방법은 무엇일까?

교육을 변화시키는 방법은 무엇일까?

4부. 행복한 미래 교육

교사가 행복해야 한다

　행복한 학교는 학생, 교사, 학부모, 지역사회와 공동의 노력을 할 때만이 이루어질 수 있을 것입니다. 학생이 가고 싶어 하는 학교, 학부모가 보내고 싶어 하는 학교, 지역사회가 도와주는 학교가 행복한 학교입니다. 학생들이 행복해하는 학교가 되려면 교사도 행복해야 합니다.

　21세기 미래 교사의 역할은 매우 중요하고 다양합니다.
　미래 교사는 학생들이 미래 사회에서 성공적으로 살아갈 수 있도록 돕는 중요한 위치에 있습니다. 교사의 역할이 지식 전달에서 지식을 생산하는 창조자이며 디지털 역량도 갖추어야 합니다. 학교에서 여유와 마음의 평화를 얻는 시간이 필요합니다. 행정업무가 줄어야, 연구하고 공부하는 시간이 늘어납니다.
　평생학습 시대에 교사는 공부해야 할 양도 많고 그 범위는 무궁무진합니다. 교사는 끊임없이 배우는 자세를 유지하며, 미래 역량을 잘 길러낼 수 있는 안목과 지혜를 갖추어야 합니다.

교사는 혁신가, 가이드, 또는 멘토로서 학생들이 올바른 방향으로 나아갈 수 있도록 돕는 역할을 해야 합니다. 이러한 접근은 학생들이 변화하는 시대에 적응하고 성장할 수 있도록 지원하는 데 중요한 역할을 합니다.

4차 산업혁명의 시대는 디지털 시대의 특징을 가지고 있습니다. 21세기 교사의 역할은 다양한 학생들에게 필요한 역량을 길러주는 것이 매우 중요합니다. 특히 4C 역량인 창의성(Creativity), 비판적 사고(Critical Thinking), 협업(Collaboration), 의사소통(Communication)은 기본적인 요소로 자리를 잡고 있습니다. 이러한 역량을 학생들에게 효과적으로 가르치기 위해서는 교사는 다양한 교수법을 활용하고, 실생활과 연계된 문제 해결 중심의 학습을 제공해야 합니다. 또한, 학생들이 서로 협력하고 소통할 수 있는 환경을 조성하는 것이 필수적입니다. 미래 사회에 적합한 인재를 양성하기 위해, 교육의 방향성과 방법이 지속해서 발전해야 합니다.

교사는 초심을 평생 간직하며 가르치는 교육 실천가입니다. 교육에서 교사의 마음가짐은 매우 중요하며, 교사는 긍정적인 생각을 가지고 학생 한 명 한 명을 소중하게 대해야 합니다. 학교는 학생들이 좋아하는 것과 잘하는 것을 찾는

4부. 행복한 미래 교육

경험을 제공하는 장소입니다. 학생 개개인의 잠재된 소질을 존중할 때 행복한 미래 교육이 이루어집니다.

괴테의 말처럼 "인간이 사랑하지 않고서 이해할 수 있는 것은 아무것도 없다"는 점을 기억하며 실천하는 삶이 중요합니다. 부모의 자녀 사랑, 교사의 제자 사랑, 제자는 스승 존경의 풍토가 필요합니다. 대가족 시대에서 핵가족 시대로 변하더니 이제는 개인 가족의 시대가 되고 있습니다. 개인의 시대 이웃사랑의 실천은 더더욱 중요한 때입니다.

유홍준 교수의 글처럼 "사랑하면 알게 되고, 알면 보인다"는 의미를 바탕으로 교사는 학생에 대한 관심과 사랑이 중요합니다. 학생을 사랑하면 알게 되고, 학생의 처지를 알면 학생의 행동을 이해하게 되며, 이를 통해 교육이 바로 서게 됩니다. 교육은 세상 모든 것을 가능하게 합니다. 학생을 진심 어린 마음으로 가르치는 일을 성실하게 하는 게 교사의 사명입니다.

인공지능 시대는 교육제도, 교육 내용, 교육 환경이 변해야 하고, 새로운 것을 창조해내는 교육이 필요한 시대입니다. 인공지능에 대해 두려움보다 호기심과 긍정적인 마음으로 맞이해야 합니다. 시대의 변화에 잘 적응하며 교육을 지속할 수 있는 교육 환경을 기대합니다.

AI시대 교사의 역할은 조금씩 바뀌겠지만, 교사의 존재 자체와 역량은 그 어느 때보다 중요해졌습니다. 수업은 교사와 학생의 만남으로 이루어지는 삶의 여정임을 깨닫습니다.

교사는 가르치고 배우면서 함께 성장하는 교학상장(敎學相長)의 관계입니다. 교학상장은 배우고 가르치면서 서로가 성장한다는 뜻으로, 가르침에도 배움이 있으니 교만하지 말라는 뜻입니다. "벼는 익을수록 고개를 숙인다"는 속담처럼 교사는 늘 부족함을 깨닫고 배우는 것이 제일입니다. 세상에 변하지 않는 것은 없지만, 변하지 않는 것 중 하나는 변한다는 사실입니다. 변화를 두려워하지 말고, 변화에 앞장서는 교사가 되기를 기대합니다.

교사가 행복해야 학생이 행복하다.
학생이 행복해야 학교가 행복하다.
학교가 행복해야 학부모가 행복하다.
학부모가 행복해야 사회가 행복하다.
사회가 행복해야 국가가 행복하다.
국가가 행복해지면 인류가 행복하다.

맺음말
참고문헌

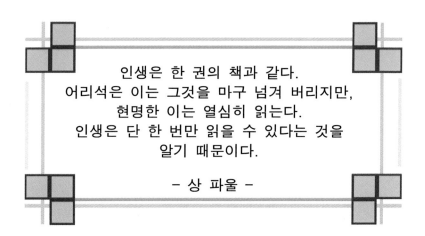

인생은 한 권의 책과 같다.
어리석은 이는 그것을 마구 넘겨 버리지만,
현명한 이는 열심히 읽는다.
인생은 단 한 번만 읽을 수 있다는 것을
알기 때문이다.

- 상 파울 -

감사의 말

교사란 어떤 존재인가?

가르친다는 건 배우는 것이며, 교학상장입니다. 가르치는 일에 감사를 보냅니다. 우리나라 유·초·중·고등학교에는 교사가 있습니다. 학교에서 교사의 역할은 수업, 학생 생활 교육, 그리고 교무 행정업무를 포함합니다. 교사의 역할 중 가장 핵심적인 일은 수업입니다. 수업은 지식과 역량을 가르치고 평가하는 과정입니다. 생활 교육은 학생들이 사회생활을 건전하게 할 수 있도록 올바른 인격과 태도로 임하도록 돕는 것입니다.

루소는 "스스로 배울 생각이 있는 한, 천지 만물 중 하나도 스승이 아닌 것은 없다. 사람에게는 세 가지 스승이 있다. 하나는 대자연, 둘째는 인간, 셋째는 사물이다"라고 했습니다. 이 세상이 모든 것이 바로 스승이라 모든 게 배움의 대상이고 "자연으로 돌아가라"라는 말로 유명하다. "가장 좋은 교사란 아이들과 함께 웃는 교사다"라는 말이 생각납니다. 교사가 건강해야 학생들과 함께 웃고 즐기며 가르치고 배울 수 있습니다.

교사도 지치고 힘들 때 기대고 싶은 곳이 있습니다. 혼자 고민하지 말고, "혼자 가면 빨리 가지만 함께하면 멀리 간다"라는 말을 기억합시다. 수업 친구, 동 학년 교사, 그리고 전문적 학습 공동체와 함께 협력하는 것이 중요합니다. 이렇게 할 때 교사는 더욱 성장하고 성숙한 교사가 될 수 있습니다.

교직 기간은 30~40년으로, 매우 긴 시간입니다. 어렵고 힘든 수업에서 힘이 나는 방법도 있습니다. 행복한 수업 문화를 위해 모여서 함께하면 그 가치가 커집니다. 교사와 모든 학생이 행복한 학교를 만들기 위해서는 함께하는 게 가장 중요합니다. 학생 맞춤형 수업을 함께할 때 더욱 행복한 교사 생활이 될 것입니다. 경험해 보니 그 사실을 잘 알게 됩니다. 교사의 일상은 수업하는 삶이지만, 교사 또한 사회인이고 직업인이며 평범한 일반인입니다. 교사의 삶이 소풍 온 것으로 생각하면, 이 또한 마음이 기쁘지 아니한가? 교사는 존재 그 자체가 목적이고 사명입니다. 이 순간이 고맙고, 감사한 일입니다.

탈무드에서 "나는 나의 스승들에게서 많은 것을 배웠다. 그리고 내가 벗 삼은 친구들에게서 더 많은 것을 배웠다. 그러나 내 제자들에게선 훨씬 더 많은 것을 배웠다."라고 합니다.

생성형 인공지능(AI)의 등장으로 관심이 증가하고 있습니다. 생성형 인공지능과 에듀테크의 활용은 선택이 아닌 필수입니다. 인터넷의 발달, 디지털 기기의 출현, 그리고 SNS의 확장에 따라 단순한 기기 사용법을 넘어서 정보를 다루고 활용하는 능력까지 필요해졌습니다. 미리 준비하는 데 어려움이 있을 수 있지만, 사용 방법을 익히는 것이 교사의 전문성입니다. 생성형 인공지능 활용은 마치 내 비서를 핸드폰에 두는 것과 같습니다. 질문하고 대화하는 친구처럼, 창의력과 상상력을 향상하게 시키며 새로운 방법으로 문제를 해결하는 데 도움을 줄 것입니다.

디지털 리터러시(digital literacy) 또는 디지털 문해력은 디지털 플랫폼의 다양한 미디어를 접하면서 명확한 정보를 찾고, 평가하고, 조합하는 개인의 능력을 의미합니다. 학교 현장에서도 디지털 리터러시 교육의 필요성이 점차 강조되고 있습니다. 이는 생성형 인공지능이 제공하는 수많은 정보 중에서 올바른 정보를 선별해야 하기 때문입니다. 또한, 13세 이하 학생들에게는 생성형 인공지능 활용에 제한이 있습니다. 올바르게 질문하는 방법을 익혀 활용하는 것을 권장합니다.

학교에서 수업과 업무에 에듀테크를 활용법을 안내했습니다. 에듀테크가 교사의 역할을 하는 건 아닙니다. 에듀테크는 깊이 생각하고 넓은 맥락에서 바라보는 것이 중요합니다. 에듀테크 활용에 관한 방법을 터득하여 성숙한 교사로 성장하길 기대합니다. 교사의 역할은 조금씩 바뀌겠지만, 교사의 존재 자체와 역량은 그 어느 때보다 중요해졌습니다.

디지털 시대의 새로운 기술, 새로운 도구를 수업에서 활용할 것인가를 고민할 때입니다. 에듀테크를 이해하고, 활용하는 경험을 통해 융합적 사고력과 문제해결력을 기르기 위함입니다. 교사의 에듀테크 활용 수업은 교육의 질을 높이고 전문성을 신장하는 방법의 하나입니다.

이 책을 통해 에듀테크의 이해와 활용에 대한 소양을 함양하기를 기대합니다. 에듀테크를 이해하고 기본적인 사용법을 익혀 즐겁고 행복한 주인공이 되기를 소망합니다. 또한, 교육 현장에 조금이나마 이바지할 수 있기를 바랍니다. 여러분의 앞날에 꽃길이 펼쳐지기를 바랍니다.

고맙습니다. 감사합니다.

2024년 가을

강신진

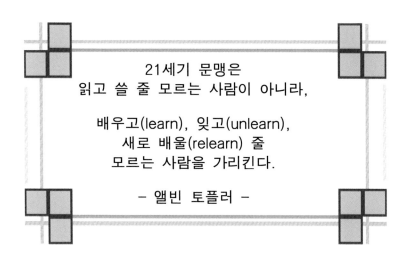

21세기 문맹은
읽고 쓸 줄 모르는 사람이 아니라,

배우고(learn), 잊고(unlearn),
새로 배울(relearn) 줄
모르는 사람을 가리킨다.

- 앨빈 토플러 -

참고문헌

《나는 교육 실천가》, 강신진, Bookk, 2023.
《네 꿈을 펼쳐라》, 강신진, Bookk, 2023.
《행복한 교사의 일상》, 강신진, 유덕철, Bookk, 2023.
《행복해지는 교사들의 7가지 수업》, 강신진, 유덕철, Bookk, 2023.
《수석교사 수업 톡(talk)》, 강신진,장양기,유덕철, Bookk, 2023.
《내 마음의 시(詩)》, 강신진, 원성균, Bookk, 2022.
《수석교사 제도》, 강신진, 부크크, 2023.
《세상에 이런 법이》, 강신진, 부크크, 2022.
《누구나 글쓰고 작가되는 비법》, 강신진, 최진, Bookk, 2023.
《네 꿈을 펼쳐라》, 강신진, Bookk, 2023.
《누구나 쉽게 ChatGPT 활용법》, 강신진, Bookk, 2023.
《ChatGP로 레벨업》, 권정민, 학지사, 2024.
《에듀테크 수업 활용 가이드북》, 한국교육학술정보원, 2023

참고사이트

워드클라우드 (https://wordcloud.kr)
교육기본법 국가법령정보센터법규 https://www.law.go.kr/법령/교육기본법
나무위키 https://namu.wiki/w/챗봇
나무위키 https://namu.wiki/w/생성형인공지능
나무위키 https://namu.wiki/w/에듀테크
위키백과 (https://ko.wikipedia.org/wiki/홍익인간)
위키백과 (https://ko.wikipedia.org/wiki/웰빙)
위키백과 https://ko.wikipedia.org/wiki/제4차_산업혁명
위키백과사전 https://ko.wikipedia.org/wiki/챗봇
위키백과 https://ko.wikipedia.org/wiki/ChatGPT
위키백과 https://ko.wikipedia.org/wiki/디지털리터러시
위키백과 https://ko.wikipedia.org/wiki/에듀테크
http://www.eduyonhap.com/news/view.php?no=64664
교육 연합신문 https://www.hangyo.com/news/article.html?no=96737
전자신문 https://www.etnews.com/20230706000179
교육부 보도자료 https://www.moe.go.kr/
교육부 공식 블로그 디지털리터러시 필요성 https://if-blog.tistory.com/13288
교육방송 미래역량 무엇인가? https://www.ebs.co.kr/tv/
교육 TV ChatGPT 시대 대담 https://www.youtube.com/watch?v=csO4VVwrVdA
https://chat.openai.com/ ChatGPT 검색 화면 캡처
https://openai.com/ [인공지능 챗봇] 인공지능 챗봇의 정의
https://chanos.tistory.com/entry/AI-Chatbot
https://www.bing.com
https://wrtn.ai/
https://chatbot.theb.ai/ https://chatbot.theb.ai/#/chat/1002
바이챗(BAI Chat) - 가위 바위 보 게임 코딩 출력화면
https://chat.openai.com/ChatGPT 검색
https://getgpt.app/ 교육플러스 디지털 시대, 교육과정에서 다루어야 할 핵심 역량
http://www.edpl.co.kr
전자신문 2023.7.6. 교사 주도 하이터치 하이테크 미래교육을 구현하자
https://www.etnews.com/20230706000179

네이버 카페 T멘토 지식 나눔터
https://cafe.naver.com/tmentorteachers/432?art=ZXh0
학교생할기록부 교과별 세부 특기사항 제시된 예시
https://getgpt.app/play
머니투데이 https://news.mt.co.kr/mtview.php?no=2023021210134910917
서울교육 매거진 미래사회와 학교교육의 변화 https://webzine-serii.re.kr/1495-2/
국가미래연구원 미래교육 혁명, 그 성공의 조건
https://www.ifs.or.kr/bbs/board.php?bo_table=News&wr_id=4373
서울교육 교육의 미래, AI 융합교육과 교사의 역할 https://webzine-serii.re.kr/
행복한 교육 https://happyedu.moe.go.kr/happy
The K-Magaine https://www.thekmagazine.co.kr/data/theK_2305/sub2_02.php
에듀프레스 http://www.edupress.kr/news/articleView.html?idxno=11582
미래교육자 손종우 유튜브 영상 https://www.youtube.com/@attachshin
뉴데일리 로고
https://biz.newdaily.co.kr/site/data/html/2024/07/02/2024070200192.html
교육부 https://if-blog.tistory.com/13288
인공지능이 교육·학습에 끼칠 영향
https://www.ohmynews.com/NWS_Web/View/at_pg.aspx?CNTN_CD=A0003036429
에듀테크 활용 수업을 위한 6가지 열쇠 https://eduhope88.tistory.com/559
교육을 바꾸는 사람들 https://21erick.org/column/12164/
https://m.blog.naver.com/besttechs/223437447189
AI 시대 중요한건 사고력! 우애리의 '육아웹툰'⑦
]https://www.msn.com/ko-kr/news/
진주교대신문 (http://www.cuenewss.co.kr)
TreeOF의 세상이야기 에듀테크 https://treeof.tistory.com/509
더 매거진 교육현장 교사 역할
https://www.thekmagazine.co.kr/data/theK_2305/sub2_02.php
교육광장 ChatGPT를 활용한 학교 교육 http://kice-magazine.co.kr/?p=6346
서울교육 https://webzine-serii.re.kr/인공지능의-발달과-교육의-변화/
경기도교육청, '에듀, 테크를 만나다' 에듀테크활용교육 이해자료
https://www.askedtech.com/document/987
에듀테크 수업 활용 가이드북, 한국교육학술정보원
https://www.keris.or.kr/main/ad/pblcte/selectPblcteETCInfo.do?mi=1142&pblcteSeq=13710

그림 출처

책의 표지 그림은 인공지능에서 생성한 이미지를 사용했습니다.
[빙 이미지 크리에이터] https://www.bing.com/images/create
[ChatGPT] https://chat.openai.com/ChatGPT 검색
[Copilot], [네이버클로버x], [Gemini(제미나이)],... 등
[AskUp]에서 생성한 그림을 사용. https://www.askedtech.com/
[뤼튼(Wrtn)]에서 생성한 그림을 사용. https://wrtn.ai/
그림은 인공지능(AI)이 생성한 이미지를 사용했습니다.

저　자 | 강신진
발　행 | 2024년 9월 30일
펴낸이 | 한건희
펴낸곳 | 주식회사 부크크
출판사등록 | 2014.07.15.(제2014-16호)
주　소 | 서울특별시 금천구 가산디지털1로 119
　　　　　　　　SK트윈타워 A동 305호

전　화 | 1670-8316
이메일 | info@bookk.co.kr

ISBN | 979-11-419-0572-9

www.bookk.co.kr